CB055544

Dados Internacionais de Catalogação na Publicação (CIP)
(Câmara Brasileira do Livro, SP, Brasil)

Arrabal, José, 1946 -
　　Lendas brasileiras : centro-oeste e sul / José Arrabal ; ilustrações Sérgio Palmiro. – 2. ed. – São Paulo : Paulinas, 2011. -- (Coleção mito & magia)

ISBN 978-85-356-1014-7

1. Folclore - Literatura infantojuvenil　2. Lendas - Literatura infanto-juvenil　I. Palmiro, Sérgio.　II. Título.　III. Série.

11-08274　　　　　　　　　　　　　　　　CDD-028.5

Índices para catálogo sistemático:
1. Brasil : Lendas : Folclore : Literatura infantil　　028.5
2. Brasil : Lendas : Folclore : Literatura infantojuvenil　　028.5

Nenhuma parte desta obra pode ser reproduzida ou transmitida por qualquer forma e/ou quaisquer meios (eletrônico ou mecânico, incluindo fotocópia e gravação) ou arquivada em qualquer sistema ou banco de dados sem permissão escrita da Editora. Direitos reservados.

2ª edição – 2011

Revisado conforme a nova ortografia

Direção-geral
Flávia Reginatto

Editora responsável
Maria Alexandre de Oliveira

Copidesque
Maria Cecília Pommela Bassarani

Coordenação de revisão
Andréia Schweitzer

Revisão
Patrizia Zagni

Direção de arte
Irma Cipriani

Gerente de produção
Felício Calegaro Neto

Ilustrações
Sérgio Palmiro

Produção de arte
Telma Custódio

Paulinas
Rua Dona Inácia Uchoa, 62
04110-020 – São Paulo – SP (Brasil)
Tel.: (11) 2125-3500
http://www.paulinas.org.br
editora@paulinas.com.br
Telemarketing: 0800-7010081
© Pia Sociedade Filhas de São Paulo – São Paulo, 2004

José Arrabal

Lendas Brasileiras
CENTRO-OESTE E SUL

Ilustrações:
Sérgio Palmiro

Paulinas

*Para Frederico,
meu filho,
amigo e médico,
estas histórias do Brasil.*

SUMÁRIO

REGIÃO CENTRO-OESTE

A Estranha História da Mula sem cabeça   9

Tahina-Can, o Ordenador do Tempo   57

Os Curumins e as Estrelas   79

REGIÃO SUL

Histórias do Paraná   87

O Menino Negro   107

As Tramas do Boitatá   125

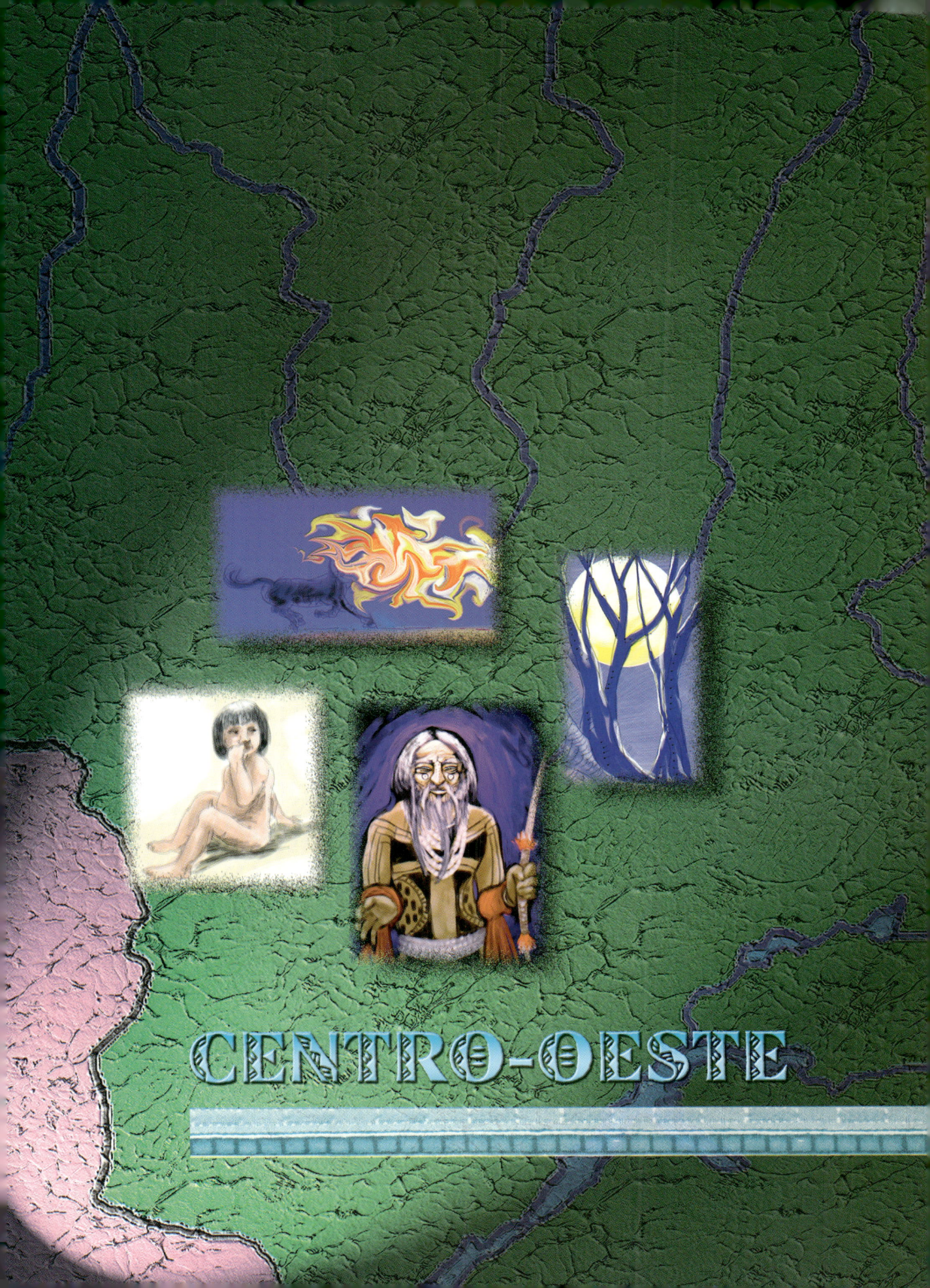
CENTRO-OESTE

A ESTRANHA HISTÓRIA DA MULA SEM CABEÇA

A história começou no ano em que João Goulart assumiu a Presidência com a renúncia de Jânio. No mesmo agosto azarado que tumultuou Brasília e empurrou o país para perto de uma guerra que jamais aconteceu.

Foi no meio dessa encrenca que seu Balbino Machado, com a morte de sua esposa, Felicíssima de Assis, pôs-se a fazer viagens a cada quarenta dias pra cidade de Assunção, capital do Paraguai.

O que o velho fazendeiro, ex-prefeito de Aporé, município de Goiás, fronteira de Mato Grosso, fazia nessas sortidas caiu na boca do povo. Deu corda a muita conversa. Ainda que não houvesse quem soubesse da verdade ou tivesse informação que fosse fato batido, testemunhado e jurado a respeito dos motivos desse turismo insistente.

Uns diziam que o homem andava em negociatas de contrabando de gado.

– Coisa grossa! Dinheirada! – garantia quem falava.

Outros asseguravam que as viagens lhe serviam para trazer bebida que, na volta, desovava nos bares de Campo Grande.

Havia quem aventava que seu Balbino Machado estava muito doente, apatetado dos rins. Que fazia tratamento naquele país vizinho com um doutor alemão, um tipo meio nazista que, fugindo dos judeus, se escondia em Assunção, por tantas perversidades e crimes que cometera durante a Guerra Mundial.

Tinha até quem comentava que o fazendeiro era outro, tendo radicalizado, mudado um tanto de time, sendo agora comunista mais por oportunismo, certo de que João Goulart haveria de entregar o Brasil para Moscou.

– Ora, conversa fiada! Intriga da oposição! Que assunto um comunista há de ter no Paraguai? – revidava quem ouvia, na praça de Aporé, essa história amalucada, inventada por rivais do teimoso viajante.

O que ninguém entendeu e surpreendeu a todos foi quando se revelou a verdadeira razão das insistentes viagens que o velhote fazia à cidade de Assunção.

O certo é que seu Balbino trouxe de lá outra esposa que ancorou em Aporé, num dia de carnaval do ano que se seguiu. Veio numa caminhonete, fordeco novinho em folha, até com chapa estrangeira. Trazia grande mudança, malas e caixotada, tanto trem que muita gente, apesar da chuva grossa, ficou tempo na calçada defronte à casa do homem vendo toda a traficância do desembarque da dona.

A mulher mais parecia uma bijuteria, um bibelô, um brinquedo desses que criança tem só para enfeitar o quarto, ficando na prateleira. Era uma dona lourona penteada com um coque mais duas tranças cuidadas, toda metida em vestido de tecido americano, roupa de moda recente, bem bordada e decotada, coisa, aliás, nunca vista nas ruas de Aporé.

Trazia os olhos pintados com sombra verde-garrafa, sobrancelhas torneadas, pálpebras destacadas, batom vermelho nos lábios, esmalte preto nas unhas. Tinha cinco anéis nos dedos de cada uma das mãos. Duas pulseiras nos braços, além de um grande relógio. Dois broches meio gigantes, sendo um deles de rubi e outro de esmeralda. Um colar de oito voltas rodeando seu pescoço, mais uns brincos de cigana.

Um portento a tal mulher que chegou toda dengosa, agarrada a seu Balbino.

Não cumprimentou ninguém, nem o pessoal da rua nem mesmo os empregados que vieram recebê-la com oleado e sombrinha, na proteção contra a chuva. Entrou direto na casa e de lá não mais saiu nos dias que se seguiram, ficando por mais de mês sem dar o ar de sua graça.

Uma incômoda presença

O certo é que Aporé nunca simpatizou com a nova moradora.

Havia os que criticavam o orgulho e o preconceito dela contra o povo da cidade. O seu nariz empinado negando conversa a todos. Sua mania abusada de preferir fazer compras nas lojas de Cassilândia, no estado do Mato Grosso, do outro lado da divisa.

– Até mesmo pé de alface! Só come se é de lá – dizia dona Rachel, mulher de doutor Queiroz, médico e inimigo de seu Balbino Machado por causa do tratamento que o doutor dispensara à enferma Felicíssima, apressando sua morte, no entender do fazendeiro.

– Vive com o rei na barriga! Nunca se apresentou a qualquer uma de nós! É da casa pra fazenda e da fazenda pra casa, sem pôr os pés nestas ruas nem mesmo na igreja! – adiantava Clarice, professora de piano e maestrina recente da retreta da cidade, esposa de João Rosinha, o maestro aposentado.

– Isto quando não se mete a gastar e bater perna na praça de Cassilândia! Pobre dona Felicíssima! Nunca teve dessas coisas! Sempre viveu no batente! – acrescentava Diná, filha de Carlos Bandeira, jornalista, proprietário da *Tribuna de Notícias*, a folha de Aporé. – Papai fez até artigo no jornal, elogiando a metida quando chegou à cidade, e ela nem agradeceu!

– Nem o nome da bandida a gente sabe direito! – tornava dona Rachel. – A princípio me falaram que se chamava Helena. Depois, Queiroz me contou que Helena é apelido. Invenção de seu Balbino que anda meio caduco, invocado, apaixonado, dizendo que a nova esposa é linda feito a princesa do filme *Guerra de Tróia*.

Aos homens incomodava a origem da mulher.

– Paraguaia ela não é! – sentenciou seu Nassar, em conversa com amigos na porta de sua loja, armarinho muito farto onde vendia de tudo, até mesmo contrabando de uísque e de cigarro. – Diz que fala um espanhol por demais estropiado, com sotaque italiano e orgulho de alemão! Assim me esclareceu dona Neli Sabino, a governanta da casa, empregada muito amiga da infeliz Felicíssima que em má hora morreu, deixando marido e posses para a loura espertalhona que desposou o viúvo.

– Acho que é polaca... – arriscou seu Alencar, o agente do Correio.

– Polaca até pode ser, mas polonesa, duvido! – interveio, consertando a referência, Jorge Ubaldo, professor de geografia do ginásio da cidade, homem de quem se dizia ter lido uma enciclopédia toda, de cabo a rabo.

Sabiam que muita gente acreditava que a dona era filha de ciganos.

— Mentira! Invencionice! – negava Pedro Galdino, contador e despachante no comércio de Aporé. – Cigano só vive andando! Nunca pousa de uma vez num lugar para morar! Nem mesmo ao se casar dando golpe do baú!

Inglesa? Tcheca? Francesa? Sueca? Ou americana? Já tinham investigado e concluído que não!

Com certeza não era turca, pois seu Raduan Tomé, alfaiate de Aporé, garantia que não era.

— Nem tem jeito de espanhola! – completava seu Veríssimo, o coletor federal.

— Vai que é russa! Ou cubana! – era o que mais aventavam, aqueles que acusavam a loura de ser vermelha.

— Não arrisco nem petisco! Mas a suspeita procede! – respondia, desse modo, todo aquele que ouvia a duvidosa alusão.

Mas quem é que tinha prova?! Prova material?! Na verdade, ninguém tinha!

Já Graciliano Rego, sujeito prosa, boêmio, muito namorador, pôs-se a assegurar que a dona era da Grécia. Isto desde que espalharam que tinha o nome de Helena.

— Grega da ilha de Creta! Aposto com quem quiser! – desafiava nos bares e rodas de carteado, lugares que freqüentava.

— Se é de Creta, é cretina! – logo interrompiam, quando vinha com a conversa.

– Pra bem dizer, é cretense! Mas, no caso da mulher de seu Balbino Machado, pode ser cretina, mesmo! – brincava Graciliano, provocando gargalhadas junto à turma de amigos.

Muitas vezes a chacota encontrava resistência em Fernando Português, um fabricante de doces, vendedor de goiabada e pastas de outras frutas, tido por viajado, sabedor de muitas línguas, sendo também poeta, pessoa conceituada.

Reagia e afirmava que a dona era holandesa.

– Eu só vi tranças com coque em louras de Amsterdã – completava com ciência, seguro do que dizia.

A mula na estrada

Há tempos era o assunto nas ruas e na pracinha, nas esquinas e nas casas, até mesmo na estrada que descia de Brasília e alcançava Aporé. Por mais que o Brasil inteiro naqueles dias e meses vivesse briga maior, querendo acertar no voto, pelo sim e pelo não, em um grande plebiscito, se o governo era de Jango ou do primeiro-ministro.

Bate-boca federal bastante insuficiente para fazer esquecer essa futrica a respeito da loura de seu Balbino. História que tomou vulto e cresceu com sangue novo quando um certo Josué, de sobrenome Cabral, posseiro de um sitiozinho chamado Porto Seguro, chegou da roça, numa sexta-feira cedo, ferido, com manchas por todo o corpo e até mesmo sangrando, garantindo que enfrentara uma mula-sem-cabeça no caminho que passava pelas terras do fazendeiro.

— Era uma besta vermelha, grandona e iluminada por um fogaréu medonho na ponta de seu pescoço, fazendo vez de cabeça! — contou Josué Cabral. — Veio do mato pra estrada e me cercou de repente, na altura da Independência, fazenda de seu Balbino!

Falou que vinha de um baile em São Pedro da União, distrito de Aporé.

— Animado com a festa, abusei de uma aguardente feita de pequi maduro, o que me deixou maluco. Zonzo por ter bebido, comecei a rodear uma garota donzela, noiva de um sujeito que tinha cara de mau e quatro mortes nas costas. A menina bem queria minha aproximação. Porém o noivo da dita, ao perceber minha corte, reagiu feito uma onça. Juntou-se com uns amigos pronto pra acabar comigo. Foi a conta que bastou para me pôr pra correr do salão de baile! — acrescentou Josué, contando que, na fuga, a caminho do sítio que possuía, indo em seu cavalo, no meio da madrugada, o animal estancou, quis recuar, empinou, relinchando apavorado.

— Estranhei a reação. Tentei controlar Severo. Agarrado no estribo, sentei a espora nele. Meu cavalo ficou doido e me derrubou no chão.

Quando se levantou, viu que sua montaria tinha desaparecido, escapado na carreira.

— Foi aí que percebi a mula na minha frente! Mas, por Deus, não tive medo. Parti pra cima da monstra. Quis dominar a danada. Segurei no rabo dela. Levei dois coices de lado, escapando do terceiro que veio em cima de mim. Se me acertasse, eu morria, pois o casco da infeliz cortava que nem facão e furava feito punhal.

Já bastante machucado, lembrou-se de simpatia que aprendera na infância por obra de muita história que ouvira da avó. Verdadeira maravilha usada pelos antigos para conter a fúria de uma mula sem cabeça.

– Fazendo como aprendi, encostei as mãos no corpo, dobrei os dedos pra dentro e escondi minhas unhas, passando a esconjurar aquele trem horroroso. Desesperado, eu gritava: "Sai pra lá, sua pecadora! Não vem que eu estou com Deus!". Foi um santo remédio, a minha salvação – proseava o sitiante, enquanto doutor Queiroz cuidava dos ferimentos.

– A monstra ficou zureta. De repente, parecia que havia me perdido, como se não me visse nem mais soubesse de mim. Rodando feito um pião, a besta pôs-se a bufar. Parecendo alucinada, aumentou o fogaréu que vinha de seu pescoço. Por pouco não me alcançou com as pontas das labaredas. E juro que, se me alcançasse, me transformava em torresmo.

Josué, na embalada, meteu-se pela estrada. Nem sequer olhou pra trás. Um bom pedaço adiante, sem muito custo e por sorte, reencontrou seu cavalo.

Montado, ele disparou, deixando a mula maldita.

– Só na Pedra da Alegria, que aponta pro Lajeado, sítio de seu João Rosinha, já longe da Independência, é que me vi sossegado, ainda que dolorido, machucado em todo o corpo, com feridas feito cortes de facão e de punhal. Daí é que resolvi partir para Aporé sem mesmo voltar para casa. Apavorado com a mula das terras de seu Balbino, eu por lá não passo mais. Isso juro que não faço.

Assim Josué Cabral encerrava seu relato, caso que repetia onde fosse, onde estivesse, quinhentas vezes por dia, para quem quisesse ouvir e mesmo aos que duvidavam daquela estranha aventura.

No domingo, a história virou manchete de capa da *Tribuna de Notícias,* trazendo artigo assinado pelo dono do jornal. Texto de alto nível baseado só nos fatos, sem qualquer provocação, ainda que exagerado, destacando com insistência no início da matéria, no meio e também no fim o local do acontecido: a estrada da Independência.

Claro está que a suspeita se alastrou pela cidade como fogo em capim seco. E foi feito mão em luva que a pecha se alojou na loura misteriosa.

– É ela! É ela! É ela! É ela! – acusou em altos brados, dentro da barbearia, doutor Álvaro Azevedo, candidato derrotado por seu Balbino Machado quando este se elegeu prefeito.

– É ela! Só pode ser! – concordou, com o pincel na mão direita e a navalha na esquerda, Mundinho Basto, barbeiro do advogado autor da acusação.

De lá cresceu a notícia, tomando conta das ruas, das lojas e do açougue, do clube municipal, do grupo escolar e do ginásio. Logo alcançou a Câmara e também a Prefeitura, mais o Tiro de Guerra e a sala do delegado, de onde chegou ao Fórum, ao gabinete sisudo do doutor Aranha Graça, o juiz de Aporé.

Dura revelação

Terminado o plebiscito que deu a vitória a Jango contra o Parlamentarismo, doutor Graça convocou, por carta em papel timbrado, seu Balbino Machado para um particular. O fazendeiro estranhou, mas não negou a visita. Embora contrariado, foi ao Fórum da cidade pronto a parlamentar.

O juiz ao recebê-lo procurou ser diplomata, abordando vagaroso o assunto palpitante.

– O senhor não ignora que, embora aprazível de se viver e morrer, Aporé tem seus defeitos, não sendo uma Canaã. Por isso, não se exalte com o que vou lhe falar.

– Doutor Graça, não precisa contornar! Desembucha de uma vez! – adiantou seu Balbino. – Se é a tal da história de que virei comunista por gostar de João Goulart, é melhor parar aqui sem esticar o assunto. O senhor sabe muito bem que sempre apoiei Getúlio. Daí meu voto pra Jango. Comunista, nunca fui. Por causa dessa conversa, nem mesmo participei dos comícios de agora. Isso é fofoca de gente

que na calada da noite vive tramando golpe para me depreciar. Intriga do tenentinho que no Tiro de Guerra sempre me atrapalhou desde que fui prefeito. O tenente Castro Dias, na verdade um paumandado do velho Línio Salgado, outro inimigo meu, esse jagunço assassino que agora é delegado. Dois pilantras a serviço das tramóias que arquiteta doutor Álvaro Azevedo, agiota salafrário que só dá golpe na praça e nunca vai pra cadeia. Em Aporé, doutor Graça, campeia a impunidade...

— Seu Balbino, por favor... – interrompeu o juiz. – Nosso assunto não é esse...

— Melhor que não seja mesmo – demarcou o fazendeiro. – E se não é, diga logo o motivo que me trouxe a esta sala, doutor!

— O negócio, meu amigo, é que sua santa esposa anda sendo mal falada nas esquinas desta terra... – avançou o magistrado com cuidado e justo tato.

— A pobre da Felicíssima?! Só isso que me faltava! O que estão dizendo dela?!

— Não! Não é da falecida! É dessa esposa de agora! – consertou o juiz.

— Pelo amor de Deus, doutor! Ela nunca sai de casa! E, se sai, é só comigo, quando vamos para a fazenda ou, então, pra Cassilândia! Mas, desta vez, o que espalham os canalhas da cidade?! – quis saber seu Balbino, entre espantado e raivoso.

— Calúnia! Pura calúnia! Isso lhe asseguro!

— Ofendem a honra dela?! – insistiu com o juiz.

— Não propriamente a honra... Trata-se de outra pecha...

— Homem, se é assim, pode falar sem temor, pois com certeza é mentira!

Como que sussurrando, doutor Graça abriu o jogo:

— Espalham que sua senhora vira mula sem cabeça nas noites de quinta-feira pras madrugadas de sexta, em tempo de lua cheia!

— Que maluquice, doutor! Quem inventou essa asneira?! – reagiu o fazendeiro, completamente surpreso.

– Isso não sei dizer! E ainda que soubesse, não ousaria contar! – ponderou o doutor Graça. – Só recomendo ao amigo que tome uma providência... que acabe com o boato... – e, assim, finalizou, sem, contudo, esclarecer qual seria a providência cabível de se tomar para enfrentar a história.

Seu Balbino Machado pôs-se, então, a matutar. Deu corda à imaginação.

Achou a conversa estranha, torta e atravessada. Desconfiou do juiz. Lembrou que o magistrado, perto de aposentar, há muito vinha sonhando em ser desembargador. Num instante concluiu que aque-

la história maluca era uma outra arapuca de seus velhos inimigos para desmoralizá-lo.

– Ganharam o doutor Graça prometendo promovê-lo. Agora usam o homem nessa provocação. Ora, conheço a corja. Essa gente prepotente que, derrotada nas urnas, quer vencer no tapetão. Com certeza, eles esperam de minha parte um escândalo. Pois vão cansar de esperar – pensou consigo, calado.

Em seguida, já de pé e com a mão estendida, pronto para sair, dirigiu-se ao juiz:

– Sinceramente, doutor, fico até envergonhado ao ouvir de um magistrado, de um homem inteligente que tanto já leu na vida, uma história desse porte, uma bobagem tão besta. Não me diga que acredita na existência da mula?!

– Se acredito ou duvido, isso não vem ao caso... – nada mais disse o juiz, quando então se despediram.

Ainda de madrugada, na caminhonete arrumada, cheia de traficâncias, seu Balbino Machado mudou-se com a nova esposa para a casa da fazenda.

Pretendia nunca mais pôr os pés em Aporé.

Caçando a fera

Na verdade, a mudança só serviu para acirrar os ânimos do boato, com Aporé dividida a respeito da questão. Sem dúvida, muita gente viu naquela decisão uma confissão de culpa.

– Foi embora pra fazenda por saber do que se passa. Foi esconder a desgraça, ciente da maldição que atormenta a mulher – frisavam os convencidos de que a louraça era mula.

Outros, porém, rejeitavam a dolorosa suspeita. Viam na acusação uma intriga de inimigos, uma evidente injustiça, embora reconhecessem que a dona era esquisita, cheia de nove-horas, muito emperiquitada, pra bem dizer, orgulhosa no seu jeitão diferente.

– Duas tranças com um coque?! Aquele montão de joias?! Os vestidos decotados?! O desdém pra todo mundo?! As compras em Cassilândia?! Sinceramente, é demais! – comentavam, descontentes. – Contudo é muito pouco pra se dizer o que falam! E ninguém tem prova disso! – era o que concluíam.

Já a grande maioria preferia se guardar pela coluna do meio, sem tomar qualquer partido, apenas apreciando o bate-boca do caso.

O certo é que na cidade, em tempo de lua cheia, sempre aparecia alguém jurando que tinha visto o estranho animal nas lavouras, nas estradas, nas vilas, nos povoados. Até mesmo pelas ruas e na praça de Aporé. Muitos até chegavam exibindo ferimentos, relatando com detalhes o que haviam sofrido por terem se deparado com a besta enfeitiçada.

Tantas foram essas queixas que o tenente Castro Dias, a mando do delegado, pôs em marcha uma brigada com toda a rapaziada do serviço militar. Soltou o Tiro de Guerra pelos caminhos da roça, com a missão de prender o pernicioso bicho.

Nada, porém, conseguiram os moços dessa brigada. Quer dizer, até prenderam um cavalo adoentado, manco e arrepiado, mais uma besta malhada igualmente machucada, que se encontravam perdidos, como que vindos de longe, sem dono e em pasto alheio.

Conquista que pôs a tropa meio desmoralizada.

Em seguida, o delegado achou por bem aprontar uma milícia de homens, todos eles voluntários.

Sessenta e quatro sujeitos armados até os dentes, com espingarda e facão, que se espalharam em grupos nas terras do município, durante a semana inteira de lua cheia no céu.

Invadiram muitas casas e prenderam mil suspeitos de guardar informação.

Não chegaram a entrar no casarão da fazenda de seu Balbino Machado, que arranjou uma ordem com tribunal de Brasília e assim se protegeu, ainda que doutor Graça, discretamente e em vão, tenha tentado caçar o mandado federal.

Contida pela justiça, a milícia, vigilante, permaneceu em espreita, num cerco de cinco dias às terras do fazendeiro.

Muita gente apanhou pra dizer o que sabia. Coisa, porém, sem sucesso, que deu com os burros n'água.

Com o fim da lua cheia, terminada a empreitada, alguns dos milicianos admitiram ter visto o maldito animal em cavalgada veloz, disparando nas estradas, ora aqui, ora acolá. Foi o que tantos contaram da aventura vivida.

Chegaram a atirar...

– Besteira! Pura tolice! Tiro não faz estrago numa mula sem cabeça, salvo se a bala usada é feita de prata pura. Coisa que todos sabem, mas parecem esquecer – criticaram uns e outros, posando de entendidos.

Frustrados com os fracassos da brigada e da milícia, os inimigos do bicho puseram-se a dar ouvidos à opinião insistente do boticário local, seu Cornélio Cardoso, que defendia a ideia de formar grupos de estudo para entender a mula, conhecer a sua história, manhas e semelhanças com os demais animais que, por serem encantados, atormentavam as terras da região Centro-Oeste.

– Sem o conhecimento, a ajuda da ciência, jamais iremos traçar a estratégia correta que nos livre desse trem – reclamava seu Cornélio na porta de sua farmácia para um público crescente. – De resto, caso contrário, vai ser só perda de tempo...

A idéia semeada culminou num grande curso, vasto estudo dirigido que encontrou seu lugar no salão de conferências do ginásio da cidade. Doutor Álvaro Azevedo, que entendia de finanças, patrocinou o evento, arrecadando dinheiro entre os comerciantes. E assim se inaugurou, no começo de um setembro, com festas em Aporé, o que ficou conhecido pelo pomposo nome de Seminário da Mula, a princípio por chacota, mais tarde, tomado a sério.

Uma sessão solene

No comando dessas aulas, com ares de douto mestre, munido de apostilas, livros e dicionários, seu Cornélio Cardoso mostrava-se soberano.

Tinha oitenta e cinco alunos à sua disposição, divididos em dois grupos. Gente de todo o meio, sem preconceito de idade ou de classe social. Desde Gonçalves Alves, o presidente da Câmara, até seu Macedo Penna, o coveiro aposentado do cemitério local.

Entre os mais destacados estavam doutor Queiroz, sempre com dona Rachel. Diná e Carlos Bandeira. João Rosinha com Clarice. Mais dona Neli Sabino que, bastante fiel à defunta Felicíssima, empenhou-se nos estudos. Seu Alencar e Jorge Ubaldo, juntos de Pedro Galdino. Seu Nassar, Mundinho Basto e Graciliano Rego. O delegado Salgado. O tenente Castro Dias. Os rapazes da brigada. Muita gente da milícia. O juiz Aranha Graça. Vários vereadores, diversos comerciantes, fazendeiros, estudantes. E, evidentemente, doutor Álvaro Azevedo, que inaugurou o evento e, às vezes, ia às aulas.

O prefeito Mário Osvaldo, ainda que convidado, preferiu ficar de longe, acompanhando as palestras por meio de relatórios feitos por Nelson Jorge, seu fiel representante, que muito com-

pareceu aos encontros do colóquio. Já Aloísio Pompeia, conhecido deputado, bem votado em Aporé, se não esteve presente, enviou sua secretária para a inauguração, dona Fany Fagundes, uma loura bonitona, mas educada, simpática, esforçada nos agrados aos eleitores locais.

Vale dizer que o vigário e o pastor de Aporé, descrentes da existência do animal encantado, nunca se envolveram com a história da mula. Igualmente ignoraram as aulas do boticário.

Durante a sessão solene que inaugurou o evento, doutor Álvaro Azevedo fez discurso memorável, puxado na erudição, citando trechos inteiros dos mais famosos compêndios de autores nacionais sobre folclores e lendas. Leu fragmentos em grego e no castiço latim. Em inglês, ele citou dois trechos bem embolados de *A Origem das Espécies*, de um certo Charles Darwin, inventor da evolução dos bichos da natureza.

Logo, então, fazendo uso da mais casta língua pátria, doutor Álvaro Azevedo, sem perdão, caiu de pau em cima de João Goulart, desancando o governo, antro de comunistas:

– Uma gente troglodita, pessoal neanderthal! Tudo mula sem cabeça! – frisou, com convicção.

Em seguida, elogiou a importância do curso dado pelo boticário:

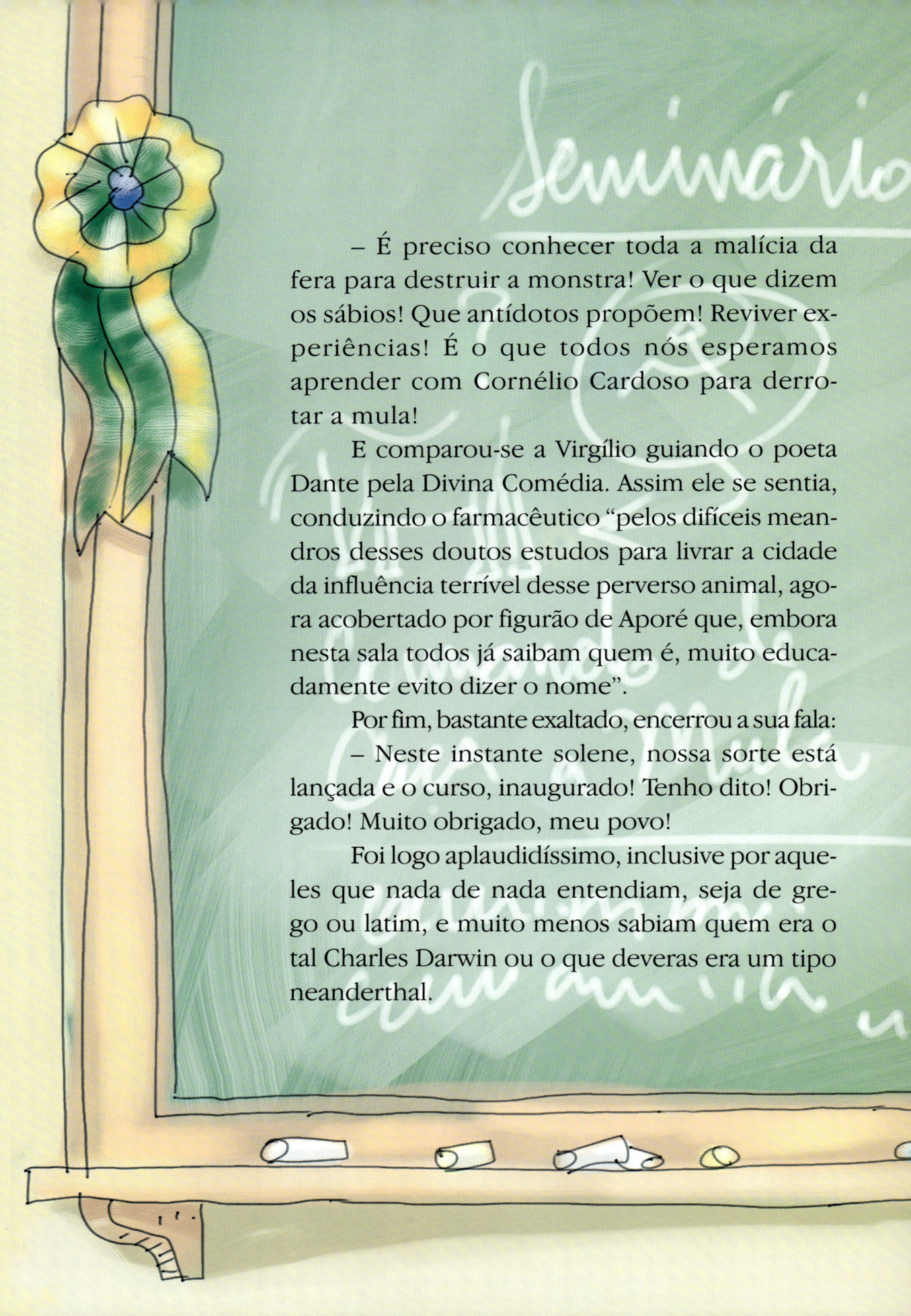

— É preciso conhecer toda a malícia da fera para destruir a monstra! Ver o que dizem os sábios! Que antídotos propõem! Reviver experiências! É o que todos nós esperamos aprender com Cornélio Cardoso para derrotar a mula!

E comparou-se a Virgílio guiando o poeta Dante pela Divina Comédia. Assim ele se sentia, conduzindo o farmacêutico "pelos difíceis meandros desses doutos estudos para livrar a cidade da influência terrível desse perverso animal, agora acobertado por figurão de Aporé que, embora nesta sala todos já saibam quem é, muito educadamente evito dizer o nome".

Por fim, bastante exaltado, encerrou a sua fala:

— Neste instante solene, nossa sorte está lançada e o curso, inaugurado! Tenho dito! Obrigado! Muito obrigado, meu povo!

Foi logo aplaudidíssimo, inclusive por aqueles que nada de nada entendiam, seja de grego ou latim, e muito menos sabiam quem era o tal Charles Darwin ou o que deveras era um tipo neanderthal.

Com certeza coisa boa nunca haveria de ser... – refletiam uns e outros na saída do evento.
– Doutor Álvaro é fogo! Eta, homem! Que cabeça! Com ele não tem perdão! Mata a cobra e mostra o pau! – era o que comentavam.

A teoria do sábio

As aulas se dividiam em práticas e teóricas, às vezes entremeadas por longos depoimentos daqueles que algum dia haviam se deparado com a mula nas estradas. Ao que, então, se seguiam acalorados debates. Sempre de segunda a sábado, com os grupos se alternando dia sim, dia não. À noite, das seis às dez, no ginásio de Aporé.

A prática consistia em enumerar remédios, fórmulas, simpatias, ditos e rezações, costumes bem conhecidos, as mais diversas maneiras de alguém se libertar de uma mula sem cabeça. Material que trazia seu Cornélio Cardoso, senhor da situação.

— Uma vila atormentada pela maldita mula pode evitar a malvada pondo cabeça de alho em um molho de arruda mais folha de tinhorão nas portas de suas casas. Em todas, casa por casa, sem uma falha sequer. Só assim é que funciona! — foi a primeira regra que ensinou o farmacêutico. — Acontece que alguns ousam não acreditar na existência do bicho. No capricho, se recusam a dependurar nas portas a segura simpatia. Por essa desunião, acaba imperando a mula. Aliás, é o que se dá em nossa pobre cidade... — lembrava e advertia.

Igualmente a teoria ficava sempre por conta do informado palestrante, às voltas com a história e também com a geografia, com muita mitologia, casos, lendas e boatos, tudo que se referia aos animais encantados da região Centro-Oeste.

— Pelo correr de Goiás e também em Mato Grosso, nossa fauna é um primor de arregalar os olhos. Coisa mais bela não há, seja no Pantanal, no cerrado, na floresta, às margens do Araguaia e do rio Tocantins. Um orgulho do Brasil — considerava o ilustre boticário, para logo acrescentar: — Contudo, além desses bichos que enfeitam nossas matas, existem seres estranhos, um tanto desconhecidos, mas que assombram todo mundo, deixando o povo assustado. Tem a anta-cachorro... Tem o arranca-língua... O cavalo-de-três-pernas... Os aroés dos índios... Tem ainda o timbaré e, também, o negro d'água... Inclusive, até existe o cavalo sem cabeça, por sinal um monstro raro, poucas vezes encontrado...

E da anta-cachorro dizia que era bicho, com certeza, aparentado da chamada anta-boi que existia na Amazônia, nas águas do Madeira e nas florestas do Acre. Que o monstro era às vezes encontrado, em Goiás, no correr do Araguaia. Que, tendo patas de anta, tinha cara de cão, mais corpo grande de onça. Que essa anta-cachorro, estando esfomeada, quando cercava a presa, se esta se escondia subindo em uma árvore, por maior que fosse o tronco, cavava o chão ao redor até a planta cair e capturava a caça.

— É o bicho mais temido que existe nestas terras. Prova está que até hoje ninguém conseguiu caçá-lo – frisava o conferencista. – Há quem diga que, em Brasília, treinam um batalhão da Polícia Especial para pegar a fera. Coisa que eu duvido e até pago pra ver... – encerrava a explicação com o desafio no ar.

Quanto ao arranca-língua, falava que era um macaco com pegadas de um metro e altura de gigante. Que dava urros medonhos e vivia pelas terras perto do rio Vermelho. Que fora visto uma vez numa fazenda de gado da cidade de Goiás, velha capital do estado.

– Tem também arranca-língua nas margens do Tocantins. Menos, mas tem também – detalhava seu Cornélio. – É um bicho atentado. O terror dos fazendeiros. Vive atacando touro, vive atacando vaca. Dá um soco no animal, que cai mortinho no chão. Em seguida, o monstrengo arranca a língua da rês, come a língua e nada mais, deixando o resto da caça para urubu comer. Há quem conte que essa fera é maior que o King Kong do cinema americano. Com certeza, bem maior! – frisava o boticário, com uma ponta de orgulho.

Do cavalo de três pernas, animal impressionante, frisava que cavalgava sempre às pressas nas pastagens, invalidando os terrenos, arrasando as plantações, verdadeira praga viva, difícil de exterminar.

– Onde pisa, não tem jeito. Nunca mais germina nada. Mas o pior, minha gente, é o monstro atormentado do cavalo sem cabeça. Bicho raro, mas que existe. Sei que até apareceu em Rosário, um povoado perto de Cuiabá, capital do Mato Grosso. Em Goiás, graças a Deus, nunca soube que passou – acentuava, mostrando gravura com as duas feras.

E prosseguia, explicando que o cavalo sem cabeça era transformação de homem velho safado, dedicado a perverter mulher honesta dos outros.

– Por seduzir a coitada e se aproveitar da dona, nas noites de feriado, em tempo de lua cheia, o bandido vira o bicho – garantia aos ouvintes.

Adiante, recordava que havia o negro d'água. Alma perdida e penada, escravo de bandeirante, morto na caça ao ouro, bem no tempo em que o Brasil pertencia a Portugal. Morador das profundezas do leito do rio das Mortes.

— Quando vem à superfície para apoquentar os vivos, está sempre gargalhando, debochando dos viventes, feito quem desdenha a vida como se fosse um deserto, uma grande porcaria, tempo de vasta tristeza na existência do ser – assegurava Cornélio, no andamento das aulas.

E não ficava só nisso. Falava dos aroés, seres sobrenaturais, tudo alma de pajé das aldeias dos bororos, espírito esfomeado que no interior da mata, sendo índio, vira onça, virando até mesmo anta, tamanduá, capivara à procura de alimento.

— Ai daquele que encontra algum malvado aroé! Vira carne! Vira pasto! Não tem como se safar! – lembrava o conferencista, advertindo severo! – Além desses aroés, tem ainda o timbaré!

Comparava o timbaré à matintapereira da região amazônica.

— Também é ave noturna. Também quer fumo e cachaça. Não é, contudo, mulher. É encarnação de índio, índio velho, muxibento, enrugado e maltrapilho, sempre assustando as crianças.

Na sala, era só espanto com a vasta sabedoria.

— Um portento, seu Cornélio! Que sujeito inteligente! Onde aprendeu essas coisas?! – comentavam uns e outros, terminada a conferência.

Doutor Queiroz ajeitava:

— Seu Cornélio Cardoso?! Vocês não sabem de nada... Ele é autodidata. Quando ainda era rapaz e morava em Campo Grande, estudou Sociologia. Fez todo o curso completo. Tudo por correspondência. Porém não seguiu carreira. Preferiu ser boticário... Ora, por que ninguém sabe...

— Nossa! – admirava-se logo alguém com a justificativa, seduzido pelo mestre.

A cabeça da mula

Claro está que em destaque nessas perorações havia o objetivo do estudo dirigido, a justa compreensão da natureza perversa de uma mula sem cabeça.

– Toda mula sem cabeça é um bicho complicado, a começar pelo nome. Na verdade, nome errado, pois a fera tem cabeça, embora nem sempre à mostra. Cabeça que, só com sorte, raros conseguem ver – destacava Cornélio. – O caso é que o fogaréu que sai dos olhos da monstra, do focinho e da boca, vindo por chama forte e em grandes labaredas, esconde a cara do trem. Desse modo se explica a famosa confusão.

Contou que a primeira mula era mulher de um rei, soberano poderoso do tempo da Idade Média. Uma rainha perversa que, em plena noite escura, abandonava o castelo, indo até o cemitério para se alimentar com carne de gente morta, coisa que ninguém sabia.

– Certa vez, desconfiado, o monarca foi atrás para ver o que se dava. E quando viu, minha gente, a rainha, feito louca, num grito desesperado, virou mula sem cabeça, sumindo daquelas terras, espalhando a maldição por outros cantos da Europa e de nosso continente.

Mas adiantou Cornélio que agora é diferente. Que havendo pouco rei, a mutação atormenta apenas mulher safada que não respeita o marido e tem vida irregular. Assim também vira mula a noiva que trai o noivo.

Lembrou que o bicho ruim galopava feito vento nas noites de quinta-feira e madrugadas de sexta, desencantando na hora que ouvia o cantar do galo. Que tendo casco ferino, seu coice era feito um tiro. Que muitas vezes o trem, no galope acelerado, relinchando furiosa, tinha por companhia uma cachorrada louca, latindo na escuridão.

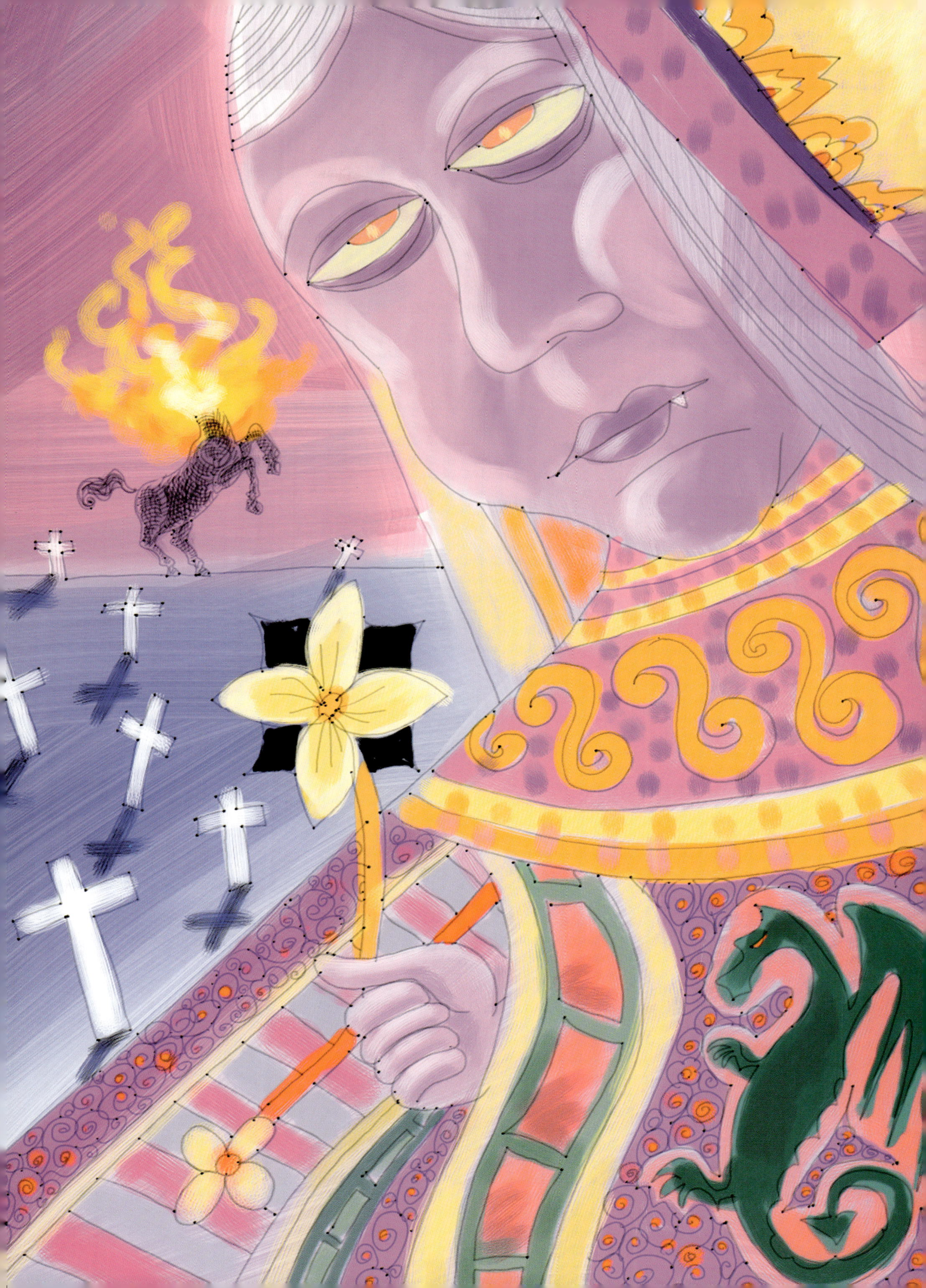

– No princípio, era preta. Quase sempre mula preta. Hoje em dia, o que mais tem é muita mula vermelha, feito essa que aparece na cidade de Aporé. Mula que, com certeza, descende de mulher loura – dizia, dando uma pausa, permitindo que a plateia ligasse o fato à esposa de seu Balbino Machado.

Daí, retornando à aula, relatava mil histórias de outras mulas que surgiram na região Centro-Oeste.

– Não muito longe daqui, há pouco mais de dez anos, junto de Caldas Novas, tem um caso que se deu com um certo Santiago, moço tirador de leite de uma fazenda local. Falam que, na madrugada, indo ele por estrada, sentiu o cheiro melado das flores de um pé de murta. Sinal muito indicativo de alguma mula por perto – esclarecia Cornélio. – O jovem logo alertou-se e, numa curva adiante, deu de cara com a monstra. Era valente o rapaz. Enfrentou a miserável, conseguindo machucá-la com um canivete longo que sempre tinha consigo. A mula, notando o sangue, desencantou num repente. Espantado, Santiago viu que a praga transformada era a filha assanhada de seu patrão fazendeiro. Claro que correu dali, deixando a moça sozinha, nua em pelo, na estrada. Depois, sabendo do caso, o patrão chamou o moço e lhe ofereceu morada no centro de Caldas Novas, mais dinheiro adiantado e salário todo mês para que calasse o bico, não revelasse a ninguém o que havia descoberto.

– Santiago concordou. Mudou-se para a cidade. Foi fiel ao compromisso – prosseguia o boticário, falando à plateia atenta. – Porém não durou três meses. Logo apareceu mortinho, numa sexta-feira cedo, todo pisoteado por casco de animal, no quintal de sua casa. Morte misteriosa que somente se explicou quando uma tia do jovem, uma tal Sinhá Vitória, botou a boca no mundo, desmascarando a história. Coisa que, por sinal, poucos acreditaram. Ninguém tomou providência nem fez nada de nada. Com o dinheiro da casa que vendeu para um dentista, a tia viu-se obrigada a mudar de Caldas Novas. Feito aqui, em Apore, campeou a impunidade contra a mula sem cabeça. Um verdadeiro absurdo! – exaltava-se Cornélio, encerrando a narrativa.

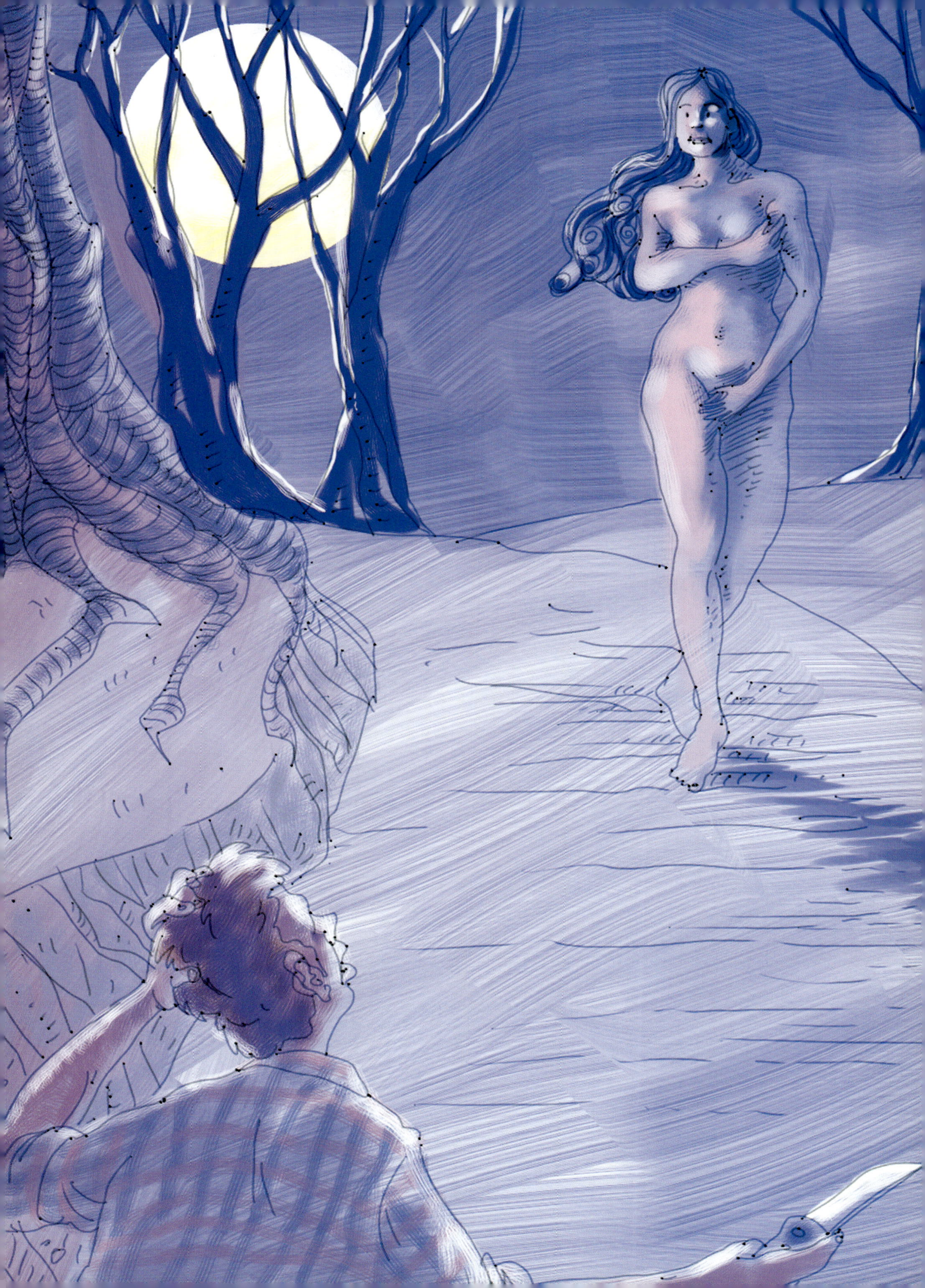

Dentre os casos que contou, o que mais impressionou foi o que aconteceu com um velhote engenheiro, cidadão boliviano, morador de Corumbá: Dom Julio Garcia Borges, tipo tido por valente.

Sabedor da existência de uma mula sem cabeça rondando a periferia da cidade em quem morava, o velho se preparou para enfrentar a maldita. Encomendou de São Paulo dúzia de balas de prata para o revólver que tinha. Armado devidamente, vestiu-se com roupa negra, escondendo suas unhas com luvas de couro cru tirado de um burro bravo. Desse modo, protegido, seguro do que fazia, lançou-se no enfrentamento numa quinta-feira à noite.

– Ninguém sabe o que se deu. Só se sabe que o infeliz foi encontrado mortinho, completamente sem roupa, sem luva e até sem arma, muito além de Corumbá, cheio de marcas no corpo, vários cortes e dentadas. O pior se viu depois na autópsia do morto, pois trazia o coração todo coberto de pelos, feito bola cabeluda. Coisa rara que se dá com quem desafia a mula, segurando no seu freio, quando este é de ouro! – completava o boticário.

– Cruzes! Misericórdia! Que coisa horrível, meu Deus! – gritou na hora Clarice, maestrina de Aporé, esposa de João Rosinha, comovida com a história, sem conseguir se conter.

Espontânea reação que fez Cornélio Cardoso sentir-se mais orgulhoso do andamento do curso sobre a mula sem cabeça.

Em busca da prática

As aulas se estenderam por meses a fio, assim como prosseguiram nas terras do município os encontros com a besta por parte de uns e outros que vinham contar seus casos na reunião do colégio.

Toda semana, batata!, havia um depoimento de alguém que vira ao vivo o terrível animal nas estradas de Aporé. Relato que precedia a conferência do mestre.

Às vezes, a exposição da testemunha ocular se mostrava tão pungente que a fala do boticário até perdia importância, o que gerava tensões, certamente por ciúmes, no professor vaidoso.

Houve um dia especial que Cornélio interrompeu o relato de um rapaz chamado Bento Lobato, desmascarando o coitado.

O moço assegurara que tinha seguido a mula até o amanhecer, indo sempre às escondidas. Detalhou sua aventura e gerou muito suspense.

O fim foi surpreendente, pois o rapaz revelou que, tornando à forma humana, o animal, na verdade, não era uma dona loura.

– É moreninha da silva. Uma branca moreninha de olho castanho-terra, com vastos cabelos negros, feito a asa da graúna. De feição desconhecida, nunca vi tal mulher na cidade de Aporé. Em nada ela se parece com a dona que é esposa de seu Balbino Machado! – disse, pleno de certeza.

A novidade explodiu feito uma bomba-relógio, ameaçando a razão da existência do curso.

Malicioso, Cornélio, sem se guardar, interveio:

– Lobatinho, por favor! Agora me diga em público... Você já não trabalhou dirigindo caminhão para o marido da loura?! E, por acaso, não mora numa casa que é dele, em São Pedro da União? – perguntou ao depoente.

O rapaz disse que sim. E foi só o que bastou para deixar a plateia um tanto desconfiada da justa veracidade daquele depoimento.

– Isso me cheira a boicote, infiltração mentirosa de intenção subversiva – arrematou de onde estava, lá no fundo do salão, o delegado Salgado, pondo uma pedra no caso. – Lobato! Muito obrigado! Pode pegar mala e cuia, indo tratar de sua vida. Se essa mula que viu é deveras moreninha, a nossa mula é louraça, vermelha e de alma russa! Não tem outra, camarada! Vai e diz a seu patrão que o povo não é bobo nem acredita em lorota!

Foi aplaudido por todos, que se puseram de pé.

– Viva o Brasil, pessoal! – gritou o tenente Castro Dias, junto do delegado, bravo, decidido, convocando todo mundo para o Hino Nacional, no que foi obedecido pelos presentes na sala em posição de sentido, com a mão no coração.

Terminada a cantoria, Bento Lobato, vexado, sem ter o que mais dizer, afastou-se do recinto. Por pouco não foi vaiado.

Sabendo do acontecido na manhã do outro dia, doutor Álvaro Azevedo convocou o boticário para uma reunião. Na casa do advogado, esperando por Cornélio, estavam doutor Queiroz, o juiz Aranha Graça, o delegado Salgado e o tenente Castro Dias.

— O pessoal tá no ponto! Quer ir à luta, Cornélio! – falou doutor Álvaro, certo do que fazia.

Exigiu do sábio mestre do *Seminário da Mula* que logo passasse à prática.

— Basta de romantismos! Chega de teoria! De tanta história arrastada que já amola os alunos! – asseverou com firmeza, dando dois socos na mesa. – Vê o que pode fazer e não estica a conversa! Entra de vez no assunto! Relaciona nossa mula com a traficância vermelha do governo João Goulart! Joga o povo contra a loura! Fala da corrupção que campeia por Brasília! Propõe medidas concretas contra Balbino Machado! Sem muita onda, rapaz, o que nos resta é agir!

— Caro Cornélio Cardoso, é isso aí, não tem outra! Doutor Álvaro Azevedo está pleno de razão! – completou Línio Salgado, delegado de Aporé, encerrando a cantilena com apoio imediato do médico e do tenente.

Preocupado, o boticário deixou a casa do chefe um tanto contrariado com toda aquela pressão.

— Eu sei lá o que fazer para agradar essa gente?! Vivem misturando as coisas... Confundindo o comunismo com a mula de Aporé...

Francamente, não entendo o que pretende esse povo! Tudo cabeça de ovo! – pensava pelo caminho.

Uma grande passeata

O caso é que seu Cornélio, não tendo como escapar das ordens do advogado, deu uma folga aos alunos na tarde do mesmo dia e procurou por amigos para parlamentar em busca de bons conselhos.

Ansiava por saber como devia agir, saindo da teoria.

Foi a Carlos Bandeira, da *Tribuna de Notícias*. Conversou horas perdidas com o professor Jorge Ubaldo. Buscou a opinião de Graciliano Rego. Em seguida, reuniu-se com seu Raduan Tomé, seu Nassar, seu Alencar e também Pedro Galdino. Esteve até altas horas com Fernando Português.

Cada um tinha uma ideia, prontamente contestada pela proposta do outro.

– Vamos sequestrar a loura! Levá-la à confissão! – sugeriu Carlos Bandeira, desejoso por notícia que fizesse estardalhaço, vendesse mais seu jornal.

— Sequestro?! De modo algum! – logo se opôs Jorge Ubaldo. – Melhor reunir o povo num tribunal simulado, pondo a dona como ré!

— Até pode funcionar... Mas eu prefiro um comício, bem no centro de Aporé! – ponderou Pedro Galdino.

— Um comício?! Boa ideia! – concordou seu Alencar.

— Isso! Isso! Um comício! – animou-se seu Nassar. – Mas será que vai dar certo? – não custou a duvidar.

— Comício?! Creio que não! Vira logo carnaval! – foi a opinião de Graciliano Rego.

— Até que não era mal, pois é disso que o povo gosta! – retornou Pedro Galdino, insistindo com a ideia do comício na cidade.

Seu Cornélio só ouvia, recolhendo as sugestões.

— Carnaval por carnaval, não seria bem melhor uma grande passeata contra a mula de Aporé?! – foi Fernando Português quem resolveu a contenda.

— Sim! Uma passeata... Toda a cidade marchando e denunciando a loura...– concordou o boticário, empolgado com a ideia.

— ... Sempre em defesa da ordem e também da propriedade, além de ser contra a russa de seu Balbino Machado! Assim fica bem melhor! – completou animado doutor Álvaro Azevedo ao se inteirar da proposta que lhe trouxe o boticário na manhã do outro dia. – Pega de vez no batente e faz funcionar a marcha, caro Cornélio Cardoso! Encurrala com o povo nossa mula sem cabeça!

A primeira dessas marchas em defesa da ordem, a favor da propriedade, contra a mula de Aporé – foi assim que se chamou o evento organizado – não reuniu tanta gente. Pouco mais que o pessoal do Seminário da Mula. Vale, porém, ponderar que o acontecido se deu na semana anterior aos festejos de Natal, em dia meio chuvoso.

A marcha que se seguiu, no começo de janeiro, veio mais reforçada com um pessoal da roça que o tenente Castro Dias trouxe nuns caminhões que arranjou em Brasília, com um major da reserva que era seu conhecido.

A terceira dessas marchas tomou vulto e animação. Dirigindo-se à fazenda de seu Balbino Machado, chegou até a porteira das terras da Independência, armando uma gritaria contra a mulher do dono.

Levavam faixas, cartazes chamando a loura de russa, exigindo que a coitada voltasse já pra Moscou.

Bastante contrariado com as ofensas que escutava, o fazendeiro deu ordem a Vinícius Cabral, vaqueiro de seu curral, que soltasse todo o gado, as vacas, a bezerrada, até mesmo os bois de carga e os touros mais ariscos pra cima do pessoal que promovia o protesto.

Não ficou ninguém na estrada.

Sentindo-se responsável pelo maldito atropelo, seu Cornélio Cardoso comandou a retirada. Todos em correria voltaram para Aporé. Muitos se machucaram. Uns bastante pisados pelo estouro da boiada. Outros até chifrados.

Fracassada a empreitada, resolveu o boticário retornar às suas aulas no Seminário da Mula. Uma falação danada, meio desacreditada, pois prender, pegar a mula, nunca ninguém prendia. Assim varou fevereiro, logo chegando março, com a deserção evidente de muitos de seus alunos.

Seu Balbino em Aporé

No dia 13 de março, enquanto o país inteiro tinha os olhos voltados para um agitado comício que acontecia no Rio, entre a Central do Brasil e o Quartel-General do Ministério da Guerra, com a presença de Jango mais a turma do governo jurando virar a mesa a favor do povo pobre, seu Balbino Machado, em meio à aula da noite do Seminário da Mula, adentrou pelo colégio disposto a acabar com a história que afrontava sua esposa.

Entrou, não cumprimentou, sentou-se e ficou calado, escutando o boticário. Claro que assustou os que estavam presentes. Na verdade, pouca gente. Era a primeira vez que o fazendeiro voltava à cidade de Aporé, desde a sua mudança pras terras da Independência.

Ao ver o homem na sala, seu Cornélio se conteve. Não se referiu à mula, não criticou o governo, nem mesmo ousou falar do comício carioca que era tido e havido como abuso de Brasília. Saindo pela tangente, só tratou dos outros monstros que o povo achava encantados na região Centro-Oeste.

Desse modo, evitava provocar o fazendeiro.

Num dado instante, porém, distraiu-se o boticário, criando situação deveras embaraçosa. Foi quando contou o caso de um cavalo sem cabeça que garantiu existir na ilha de Bananal.

Na platéia, seu Balbino, sentindo-se provocado, quase se levantou, aprontando reação. Mas, por sorte, controlou-se e a aula prosseguiu numa evidente tensão.

Não arrastando conversa, logo o conferencista tratou de pôr fim, às pressas, à conferência da noite.

Tentando esfriar os ânimos, procurou ser diplomata.

– Povo de Aporé! Quero, enfim, agradecer a presença na plateia de seu Balbino Machado... Seu apoio ao Seminário é uma prova flagrante de que somos gente ordeira, cordial e democrática. De que a nossa cidade é uma grande família... – encerrava o boticário, quando foi interrompido pelo ilustre visitante.

– Não seja falso, Cornélio! – revidou o fazendeiro, de pé e com certa raiva estampada no semblante. – Deixa de ser pau-mandado do delegado Salgado, do tenente Castro Dias e do Álvaro Azevedo, esse bandido agiota que contamina Aporé! Você sabe muito bem que não apoio as bobagens deste seu Seminário. Estou aqui pra dizer que vou deixar a cidade e que não precisam mais se preocupar com essa história, essa calúnia maluca, maldade desembestada que espalham a respeito de Helena, minha esposa.

Contou que havia vendido a fazenda Independência pra seu Palmério Piñon, um fazendeiro de boi da cidade de Uberlândia.

– Vou-me embora pro Uruguai, morar em Montevidéu, pra viver mais sossegado ao lado de minha mulher que não é mula e tem cabeça, sendo pessoa distinta de uma família de lá. E não vou amedrontado. Vou porque a minha Helena não combina com as águas desta maldita Aporé...

– Não combina com as éguas?! – interrompeu entre assustado e pasmado, ansioso por saber a precisão da palavra, João Rosinha, ex-maestro da retreta, que era bastante surdo.

Incidente que bastou para encerrar a festa, apesar das gargalhadas que alguns logo ensaiaram.

Armado de uma cadeira, seu Balbino, furioso, partiu contra João Rosinha.

Foi contido por uns tantos em meio a uma correria, gritaria de mulheres, mais a sala dividida, com alguns gatos pingados defendendo o fazendeiro, insistindo que o homem fora de fato ofendido. Outros, na acusação, alegavam que a presença de seu Balbino na sala, na verdade, não passava de uma provocação.

Um bate-boca infernal, felizmente sem sopapos, pois seu Raduan Tomé, seu Nassar, seu Alencar, mais Graciliano Rego e o professor Jorge Ubaldo, após muito deixa-disso, apaziguaram a briga, levando Balbino Machado para fora do recinto, que logo se esvaziou, mesmo porque já, há tempos, seu Cornélio Cardoso havia picado mula, escapado do confronto. Dizem uns, morto de medo. Outros advertindo que ele fora prestar contas de todo o acontecido ao delegado Salgado.

Certo é que o boticário nunca mais tornou às aulas do Seminário da Mula.

Lobisomem na cidade

Seu Balbino Machado entregou a Independência para o novo proprietário duas semanas depois, justo a primeiro de abril daquele 64, bem no dia da mentira, quando então acontecia toda a grande confusão da deposição de Jango e do Golpe Militar.

Despachou suas tranqueiras no caminhão fenemê do velho Quinca Nabuco, motorista topa-tudo acostumado a fazer mudanças para Argentina, Paraguai e Uruguai. E partiu na caminhonete, junto de dona Helena.

Não passou por Aporé. Nem mesmo se despediu da falecida mulher, Felicíssima de Assis, no cemitério local. Cortou estrada pra baixo, evitando as rodovias que levavam a Brasília.

No percurso, deu de cara com muitas tropas armadas, batalhões que ocupavam as terras, vilas, cidades, por conta da insurreição que tirara João Goulart do governo da República.

– É tudo carne de cobra, farinha do mesmo saco, feito aqueles que te acusam de ser mula sem cabeça! Raça danada de ruim! Antes mataram Getúlio! Agora, despacham Jango para fora do país! – seu Balbino comentou, ao volante, com sua loura, que apenas sorriu sem jeito, arrumando coque e tranças.

E, assim, foram embora.

Na cidade de Aporé, ao se assegurar do fato, doutor Álvaro Azevedo mostrou-se entusiasmado:

– Ficamos livres da mula e também somos governo no Palácio do Planalto graças ao que fizeram os generais em Brasília! – falou pra Línio Salgado que, com o Tiro de Guerra do tenente Castro Dias, acabara de ocupar o prédio da prefeitura como interventor local, além de ser delegado.

Claro está que, no momento, a velha história da mula morreu na boca do povo e de toda a corriola que instigava o boato. Sossego que não durou, pois poucos dias depois houve quem anunciasse a presença, na cidade, de assustador lobisomem que, segundo testemunhas, uivava pra lua cheia num capoeirão fechado atrás da delegacia.

Sem demora, uns e outros passaram a suspeitar de um tipo atarracado, homem feio de doer, amarelão sem pescoço, com cabeção de vampiro que, ainda naquele abril, mudara para Aporé. Diziam que esse homem, um polícia aposentado de nome Mané Castelo, era mesmo o lobisomem.

Com certeza, outra história que precisa ser contada na ocasião devida.

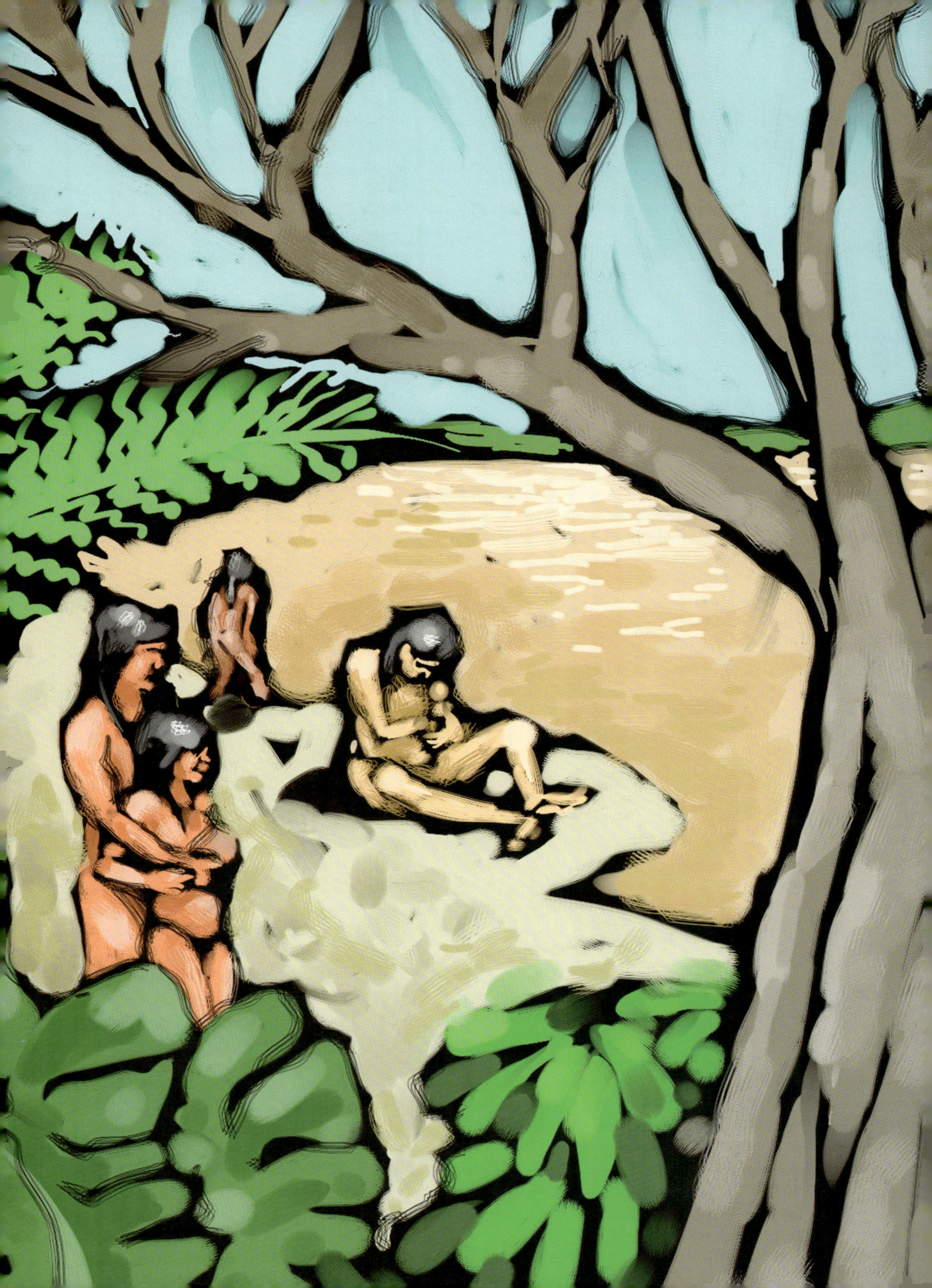

TAHINA-CAN,
O ORDENADOR DO TEMPO

No princípio, os carajás nunca se afastavam das margens do Berô-Can, nome que davam ao rio Araguaia por ter as águas grandes e apressadas.

Também não roçavam mato nem plantavam para colher e comer. Viviam das frutas que encontravam nas árvores e dos poucos peixes que o rio lhes fornecia.

Os jovens não pintavam os corpos com as cores da guerra e da paz. Não caçavam. Nem usavam enfeites de plumas de pássaros.

E as meninas, mais as moças, ainda não sabiam fazer os bonecos de barro que hoje todos chamam de licocós.

Naquele tempo, os carajás nem mesmo tinham aldeias.

As famílias moravam junto do correr das águas, espalhadas ao longo das praias do rio, em ocas de palha de buriti que construíam, usavam e destruíam quando deixavam o lugar, indo para outro pouso, sempre perto do vasto Berô-Can.

Eis que, então, numa dessas famílias viviam duas irmãs em companhia do pai e da mãe.

Imaherô era a mais velha e Denakê, a caçula. Ambas já na idade de arranjar marido. Montar sua família com algum moço carajá que fosse bravo e valente.

Conforme costume antigo, Imaherô, por ser a mais velha, tinha de casar primeiro, o que não acontecia, pois a moça, intransigente, sempre encontrava defeitos nos seus jovens pretendentes, que às vezes vinham de longe para noivar com ela.

Um lhe parecia gordo. Outro, muito baixinho. Um terceiro, muito alto. Havia os que gargalhavam. E aqueles muito sérios. Os peludos. Os sem pelos. Os de cabelo escorrido. Os ondulados demais. Uns falantes. Outros mudos. Nenhum deles lhe agradava.

Vendo-se rejeitados, retiravam-se os rapazes para nunca mais voltar. Iam, deveras, sem graça. Com certeza, envergonhados.

E, com isso, Denakê também ficava solteira, embora não entendesse os desgostos da irmã, pois não via tantas falhas nos jovens que apareciam. Mostrava-se satisfeita, se agradando com quem fosse.

Ainda que um tanto em vão, o pai sempre intercedia. Condenava a teimosia, os modos de Imaherô.

– Minha filha! Por que age como age?! Nenhum dos moços lhe serve! Nunca são conforme quer! Desse jeito, nem você nem Denakê vão casar! Veja bem que já estou velho! Assim também sua mãe! Se vocês ficam solteiras, como hão de se arranjar, quando um dia nós morrermos?! – perguntava, preocupado.

– Meu pai! Para mim, eu quero o Sol! Eu quero a Lua, meu pai! O mais perfeito guerreiro! O mais bonito rapaz! Com outro moço, não me caso! E Denakê que espere o marido que eu quero, para depois se casar com aquele que ela quiser! – respondia Imaherô, um tanto contrariada.

A mãe não interferia, ainda que bem soubesse que, agindo como agia, sua filha com certeza não terminaria bem.

Já Denakê, paciente, aguardava a decisão da irmã que era mais velha.

E assim seguia a vida, às margens do Berô-Can.

Houve, porém, uma tarde, juntinho do anoitecer, que, estando com o pai em praia do Berô-Can, Imaherô se encantou ao ver a estrela Vésper no alto do firmamento brilhando mais do que sempre.

Para o povo carajá, essa estrela, conhecida como Tahina-Can por ser a maior estrela e a mais iluminada, era, na verdade, um guerreiro, um deus todo-poderoso, o ordenador do tempo que, findando a luz do dia, punha o Sol para dormir, despertava a luz da Lua e inaugurava a noite.

Com os olhos no infinito, cheia de gosto no corpo, vontade no coração, mirando Tahina-Can, Imaherô decidiu-se:

– Meu pai! Achei meu marido! Quero Tahina-Can para se casar comigo! Traga ele até a Terra que não irei recusá-lo! – insistiu Imaherô, plenamente apaixonada.

O pai explicou à filha que o tal guerreiro do céu morava lá nas lonjuras. Que nunca descera à Terra. Que não conhecia os homens. Que jamais aceitaria viver casado com ela, às margens do Berô-Can.

– Esse sonho que acalenta, minha doce Imaherô, há de virar pesadelo, pois não passa de delírio! Sendo muita presunção, pode até trazer castigo! – ponderou o velho pai. – Faça como as outras moças da sua idade. Escolha para marido um dos jovens carajás! Estou certo, minha filha, que assim será feliz!

Imaherô resistiu. Teimou e mais insistiu.

Queria porque queria Tahina-Can para si.

Por mais valente que fosse, outro moço não servia.

Procurou se aconselhar com Denakê, sua irmã.

– Não discordo de você. Essa estrela da tarde é o maior encanto que existe no firmamento. Igualmente, reconheço que se tem em seu poder o movimento do Sol e cuida da luz da Lua é, com certeza, senhor de infinita coragem! Mas, minha irmã, eu duvido que Tahina-Can aceite vir do céu, descer à Terra, para se casar contigo!

Imaherô reagiu! Chamou a irmã de tola! De ingênua! Invejosa!

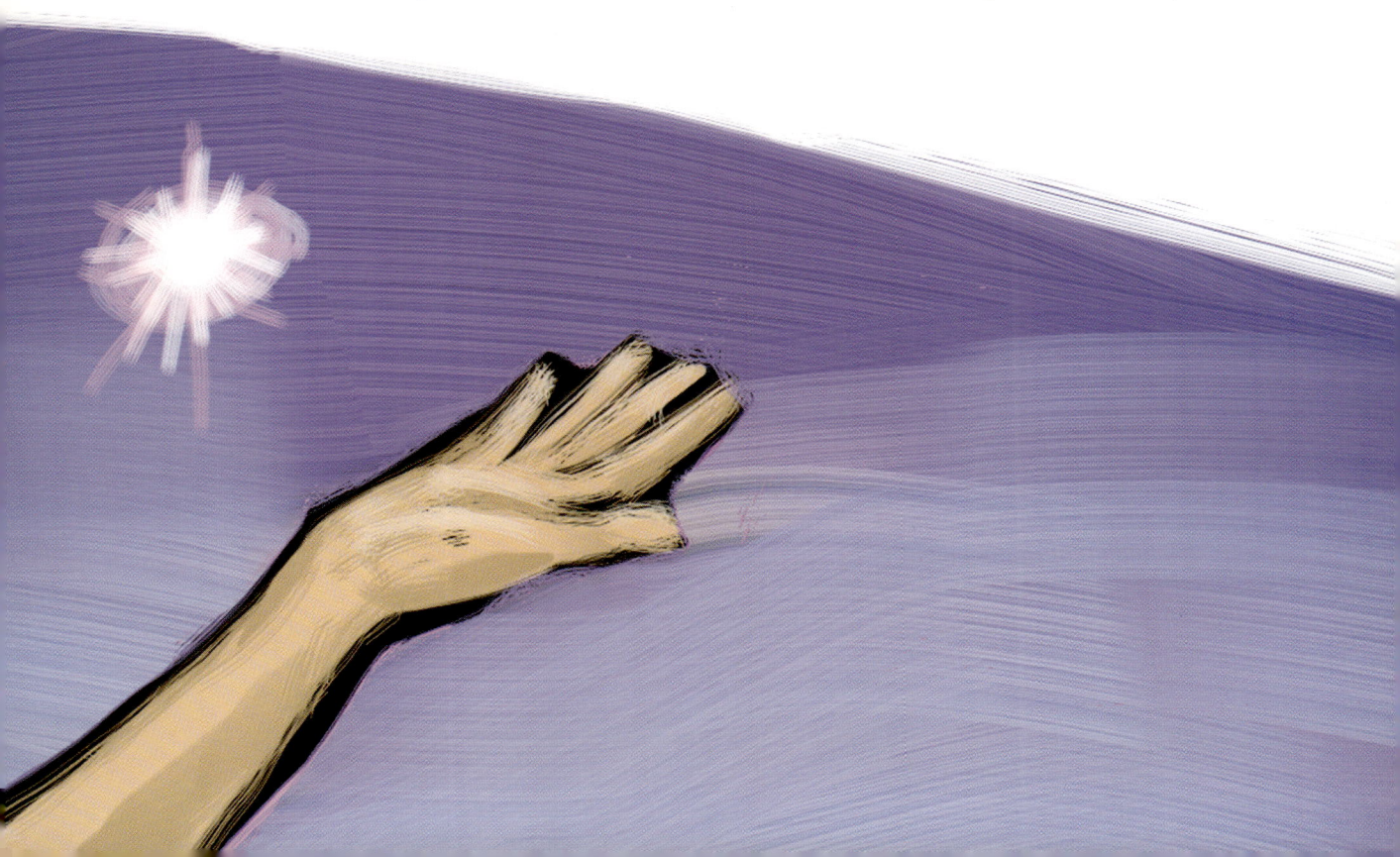

– Você vai ver, Denakê! Eu vou trazer o bravo Tahina-Can para as praias das águas de nosso rio! Por mais que não acredite, ele será meu marido! – garantiu, cheia de si.

Denakê não contestou. Até mesmo desejou boa sorte à sua irmã.

A mãe, atenta à história, não tecia comentários.

Quando se via sozinha, implorava ao Sol, à Lua e mesmo a Tahina-Can que tivessem paciência com toda aquela arrogância de sua filha mais velha.

O caso é que toda tarde, às margens do Berô-Can, lá estava Imaherô.

Sentada junto das águas, contemplava sua estrela.

Com os braços para o alto, mirava Tahina-Can. Dizia palavras belas. Cantava doces canções e implorava ao guerreiro, bravo ordenador do tempo, que deixasse o firmamento, que descesse até a Terra, que se entregasse a seus braços de amante apaixonada.

Todo dia, assim fazia.

Quase já desistia, quando, em certa noite escura, noite de inundação, raios e trovoadas, Imaherô despertou e percebeu que a seu lado havia alguém deitado. Um homem que procurava abraçá-la na esteira, falando-lhe, carinhoso:

– Não precisa assustar-se! Sou quem sou! Tahina-Can! Você me quis e pediu! Pronto! Agora estou aqui para cumprir seu desejo!

Num salto, ela levantou, chamando o pai e a mãe. Chamando por Denakê.

O homem ficou de pé, pedindo que se acalmasse.

– Quero me casar contigo! – repetia, insistente, o visitante noturno.

Logo o pai se aproximou. E veio também a mãe, junto de Denakê.

Traziam achas com fogo para ver o tal intruso que, com os trovões da noite, chegara, assim, de repente, e invadira a casa deles, prometendo casamento à jovem Imaherô. Confirmar se o invasor era Tahina-Can, conforme se proclamava, ou não passava de um farsante, um embusteiro que fingia ser o deus! Quando, enfim, viram o homem em meio ao clarão das chamas, pasmaram-se, impressionados.

Não era um jovem guerreiro, ainda que fosse alto, ainda que fosse forte, ainda que trouxesse as suas armas de guerra.

Na verdade, era um velhinho, um senhor de muita idade, vastos cabelos brancos e face toda enrugada. Apenas seus grandes olhos brilhavam como se fossem os olhos de um moço jovem, transparentes feito água na pressa das cachoeiras, assim como bem se sabe que são os olhos dos deuses.

O pai e também a mãe, mais a filha Denakê, despidos de qualquer dúvida, dobraram-se em reverência, certos de que o estranho era Tahina-Can.

Tomada pela surpresa, coberta de desespero, Imaherô reagiu:

— Mas não é esse o guerreiro que eu quero como esposo! — gritava apavorada sem conseguir se guardar.

— Claro que sou aquele que você trouxe do céu por suas belas canções, fazendo juras de amor, me pedindo em casamento! — respondeu o velhinho, com a tristeza na face. — Agora que estou aqui, trata-me como um traste, me recusa e não aceita casar com Tahina-Can.

Uma faísca terrível cortou a noite lá fora, seguida por um trovão longo e duro feito ronco de animal gigantesco.

A chuva fez-se mais forte.

Bastante descontrolada, chorava Imaherô.

— Eu não posso acreditar que o ordenador do tempo, aquele que tem poder para controlar o Sol e tomar conta da Lua, seja um senhor idoso, mais velho até que meu pai! Não! Não posso acreditar! A brilhante estrela Vésper não é esse velho feio, esse ancião enrugado que me apareceu no leito querendo casar comigo! — teimava a moça, com raiva.

— Pois sou eu e não sou outro! Tahina-Can em pessoa! E se quer alguma prova para acreditar em mim, ordeno agora que cesse essa forte tempestade que atormenta toda a noite! E que o céu se ilumine com a Lua e as estrelas até o amanhecer! — acentuou o senhor, e logo cessou a chuva, com as luzes das estrelas mais um luar sossegado tomando conta do céu.

Diante do acontecido, o pai implorou à filha que tivesse algum juízo. Que aceitasse o casamento com o nobre pretendente.

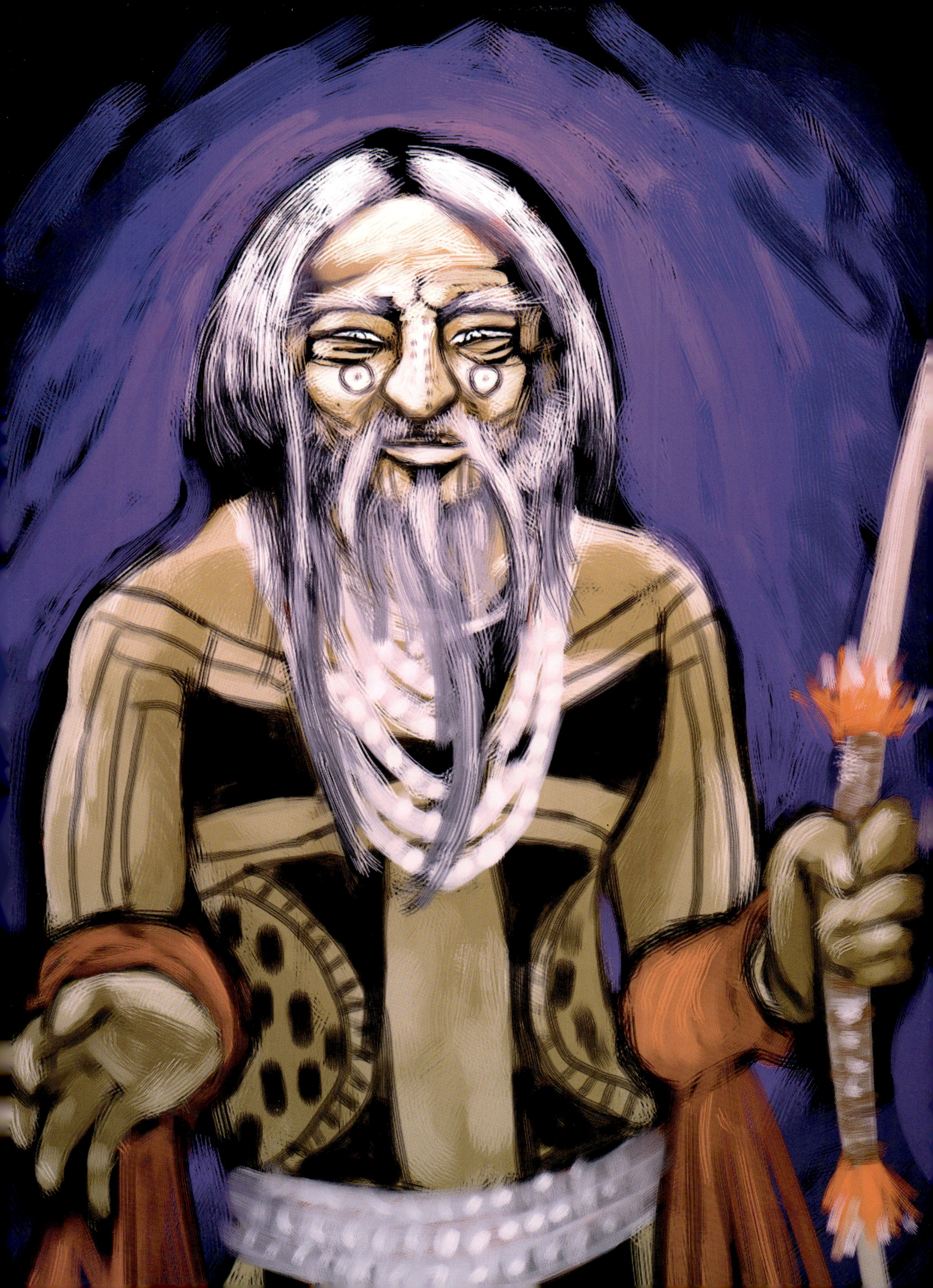

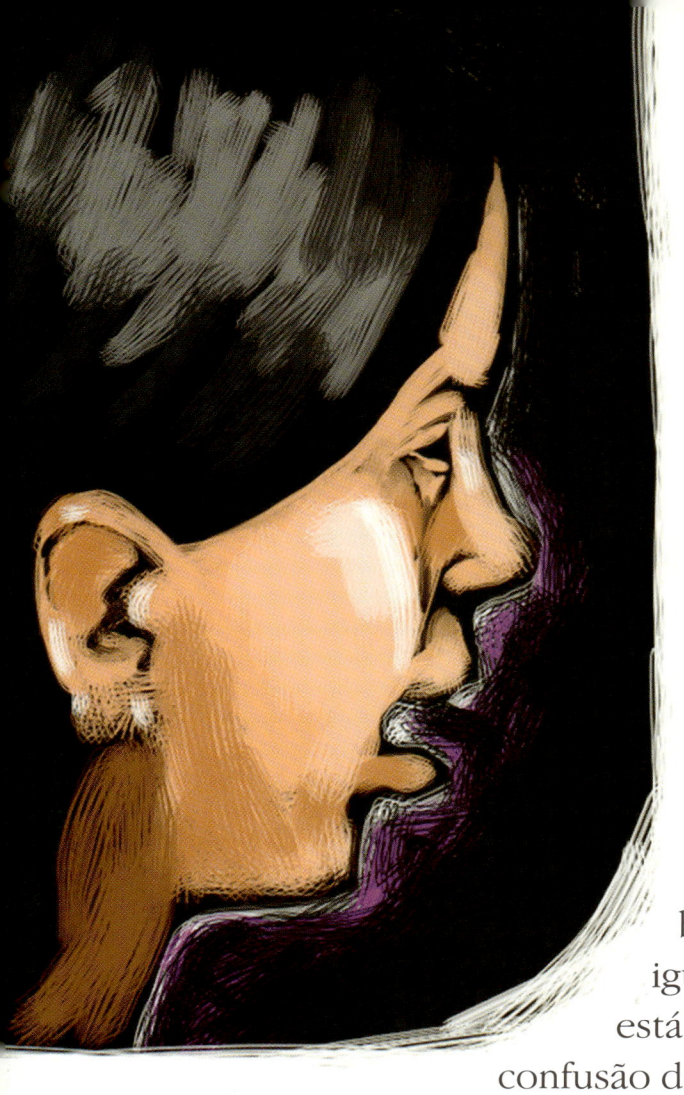

– Por ser o noivo quem é, trata-se de uma honra não apenas para você, mas para toda família! Uma bênção, com certeza, para o povo carajá! – fez questão de destacar.

Mas a moça, inflexível, rejeitou os argumentos que o pai apresentava.

– Eu quero um guerreiro novo! – retrucou, presunçosa. – Se Tahina-Can é velho, que retorne para o céu, pois com ele não me caso. E se tem bom coração, que mande o Sol à Terra para ser o meu marido! Mas que seja o Sol um jovem! Que tenha cabelos negros e o corpo varonil! Se for igualmente idoso, que permaneça onde está e não me traga transtornos feito a confusão de agora!

Tahina-Can, constrangido, observava calado essa reação da moça. Percebendo que o impasse crescia de proporções, a mãe rompeu seu silêncio:

– Imaherô, minha filha! Sendo novo ou sendo velho, este é Tahina-Can! Uma estrela do céu! Um deus muito poderoso que veio até nossa casa querendo ser seu esposo! Uma felicidade que pode virar castigo, caso você recuse! – interveio, preocupada.

– Minha mãe! Que seja um deus, mas não será meu marido! Custe o que me custar sua amarga punição, com esse Tahina-Can jamais irei me casar! – respondeu Imaherô decidida, sem temor.

O pai, a mãe e Denakê mostravam-se aturdidos com aquele desatino, aquela ofensa brutal que Imaherô fazia a um deus do firmamento.

Em meio à grande tensão, Denakê adiantou-se em defesa da irmã:

– Não haverá punição se o bom Tahina-Can entender que Imaherô teima só por tolice, pois por meu pai, minha mãe e igualmente por mim será a maior das honras tê-lo como parente – falou pausadamente, invadindo com seu olhar os claros olhos do deus, procurando convencê-lo. – Se minha teimosa irmã age conforme age, o faz só por ser ingênua, pois não reconhece a força do ordenador do tempo, que desceu do firmamento para ser o seu marido. Força que está na idade, que transforma todo homem, assim que bem envelhece, no mais sábio dos guerreiros, senhor de justas vitórias, por ter a vida nas mãos. Sendo tola, sendo ingênua, claro está que minha irmã não se encontra preparada para ser fiel esposa do bravo Tahina-Can. Doce felicidade que adoraria sentir, caso fosse a escolhida – e, dito isso, pôs-se a cantar a mais bela das canções que Imaherô cantava junto das águas do rio, do imenso Berô-Can, quando estava apaixonada pela luz da estrela Vésper.

Terminada a melodia, o pai, muito emocionado, não conseguiu se calar:

– A minha filha caçula, com a vasta sabedoria dessa suave resposta que agora deu ao deus, parece que é deveras a minha filha mais velha. A outra, por sua vez, embora com mais idade, demonstra só arrogância, feito uma jovem tola, que o justo Tahina-Can haverá de perdoar... – e, sem mais, assim, calou-se, aguardando uma resposta do ordenador do tempo.

Eis que Tahina-Can decidiu o que fazer:

Enquanto estava nas águas, colhendo semente e muda de plantas abençoadas, Tahina-Can atraía para o vasto Berô-Can muitos peixes diferentes que ali não existiam. Tudo peixe de comer. Jaú, pintado e pacu. Dourado, piraputanga, jauzinho e cachera. Curimbatá, surubim. Piaba, tucunaré, piranha e pirarucu.

Presentes no grande rio para o povo de suas margens.

E também vieram pássaros, vindos de outros cantos, invadindo aqueles ares. Aves de várias plumagens com as mais diversas cores. Araponga, bem-te-vi, sabiá, bico-de-prata, arara e araraúna. Muita saracura macho, com seu canto divertido, cantando "Amanhã eu vou!". Muita saracura fêmea respondendo "Não, vem hoje!". Maritaca, tuiuiú, guacho, garça, papagaio, periquito, sariema, corrupião e coleiro. A fêmea do aracuã com seu trinado assanhado "Quero casar! Quero casar!". E o macho, retraído, mais medroso, retrucando "Pra me matar! Pra me matar!".

Isso trouxe vida nova, alegria nunca vista, para os céus do Berô-Can.

Nas matas dos arredores, igualmente, apareceram animais que até então não existiam por lá. Tudo bicho de caçar. Carne boa de comer para o povo carajá.

Enquanto isso se dava, no alto do firmamento se incendiava o Sol, como se estivesse em festa. Feito fogueira gigante, saudava seu deus na Terra.

E quando chegava a noite, surgia a Lua no céu, grande, toda dourada, trazendo, com sua luz, uma chuva muito fina, como que abençoando todas as criaturas que viviam nas águas ou que moravam em torno do imenso Berô-Can.

A partir da ocasião mudou bastante a vida naqueles cantos de lá.

O velho Tahina-Can era adorado por todos, sempre muito agradecidos por seus presentes doados. A fartura com as plantas, os peixes para pescar, mais as plumagens das aves e os bichos de caçar.

Sobretudo, era amado pela jovem Denakê.

Na ocasião da colheita do que plantara na roça, lá ia Tahina-Can para cumprir seu serviço. Falava com Denakê que não saísse da oca, que aguardasse por ele, que cuidasse da comida, que estivesse sempre pronta para lhe dar carinho e matar a sua fome, quando ele retornasse com os braços cansados e o corpo dolorido do trabalho na lavoura.

Era o que ela fazia, mas bastante preocupada. No tempo da plantação, sempre ajudara o marido. Por que não podia agora ajudá-lo na colheita – estranhava Denakê.

Na verdade, ela temia que algum mal acontecesse ao velho deus, seu esposo. Ou que ele fosse embora, para nunca mais voltar, tendo cumprido a missão de deixar os carajás com fartura e vida nova.

Porém, ela obedecia, sem nunca contrariá-lo.

E ele voltava cedo, sempre retornando alegre para junto da mulher.

Houve, contudo, um dia de Sol ardente no céu em que Tahina-Can saiu. Foi com armas de guerreiro na direção da floresta.

Prometeu que voltaria sem demora à sua oca. E pediu a Denakê que ela se preparasse para uma grande surpresa.

Mas o tempo foi passando e ele não retornava.

O Sol já se despedia e a Lua já nascia, quando, bastante ansiosa, Denakê saiu de casa à procura do marido.

Corajosa, foi sozinha, levando só uma lança. E adentrou pela mata, caminhando sem parar.

Ao caminhar bom pedaço no interior da floresta, viu bichos de ar e terra, todos um tanto agitados, sempre em grupos se movendo numa mesma direção.

Ela não se intimidou. Foi na trilha desses bichos.

Eis que, então, de repente, numa clareira vistosa, Denakê se deparou com os bichos reunidos.

E, no centro da clareira, ela viu Tahina-Can, mais brilhante que o Sol, mais dourado que a Lua.

Não era mais o velhinho com quem um dia casara!

Na verdade, era um jovem, um rapaz forte, bonito, com as feições do marido e a idade de um guerreiro! Um garboso guerreiro, com os mais belos desenhos espalhados pelo corpo, tinturas de urucum, mais tinta de jenipapo e outras ervas de cores! Na cabeça, ele trazia uma coroa de plumas das novas aves dos ares! Tinha os braços, mais as pernas e também a cintura igualmente adornados! Porte lindo, nunca visto em um moço carajá!

Em meio à revelação, Denakê se entusiasmou e correu para o marido.

O moço abriu os braços para recebê-la em festa.

– Denakê, boa mulher! Eis-me agora transformado em uma outra aparência, entregue para você, por ser doce companheira, carinhosa e tolerante! Se descumpriu minha ordem de permanecer na oca, o fez pelo imenso amor que percebo nos seus olhos! Sua dedicação reafirma para mim que você merece ter Tahina-Can como esposo por um tempo mais longo! – falou o deus, na floresta, naquela hora feliz.

Juntos, então, retornaram às margens do Berô-Can para contar a todos o que havia acontecido.

Primeiro se dirigiram à oca em que viviam o pai, a mãe e a irmã da bondosa Denakê.

E foram bem recebidos com a alegria de sempre pelo pai e pela mãe, ambos muito impressionados, agradecidos ao céu pela boa novidade. Contudo, Imaherô mostrou-se muito irritada. Aos brados, desesperada, afirmou que se sentia traída pelo guerreiro.

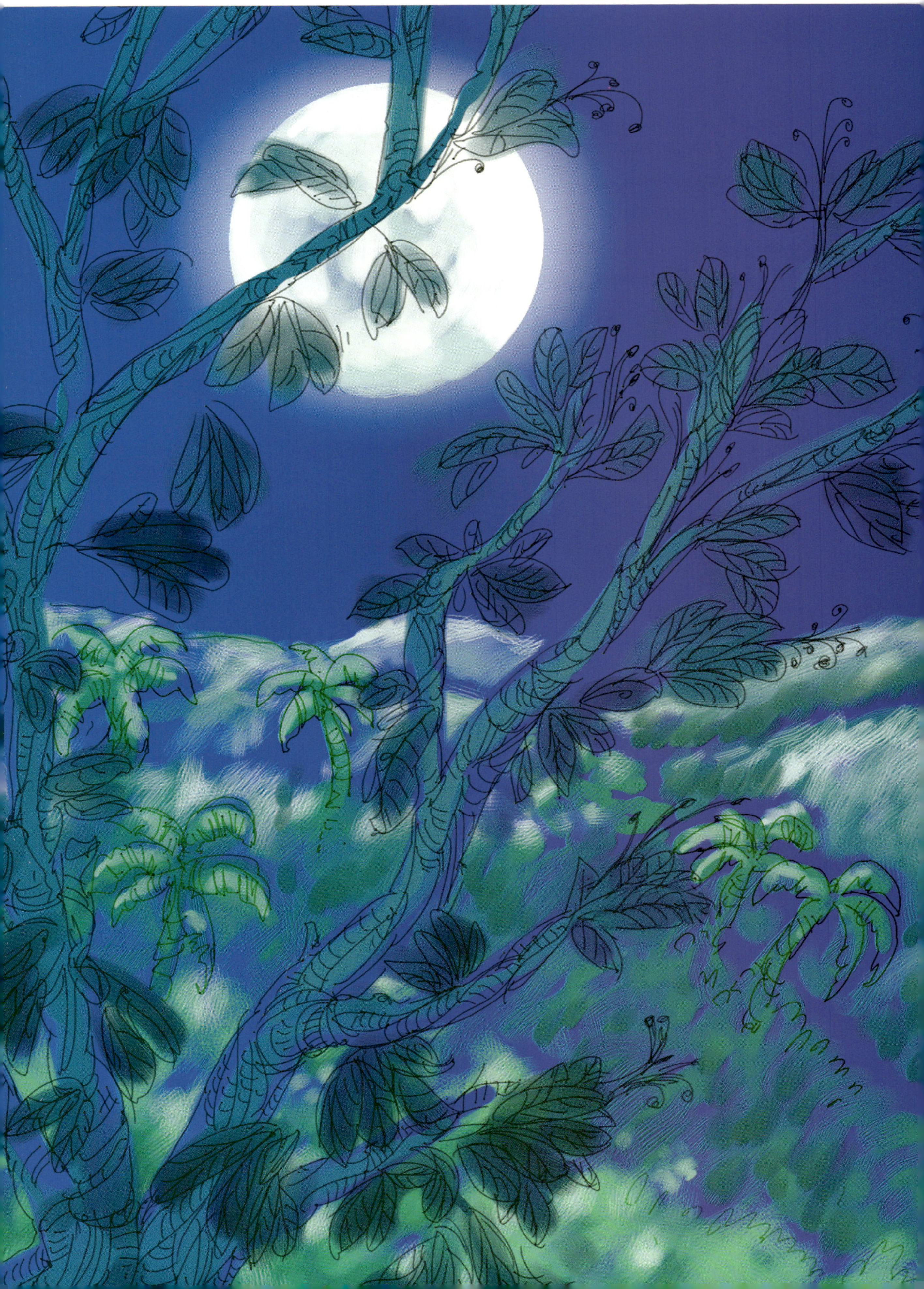

OS CURUMINS
E AS ESTRELAS

Antigamente não havia estrelas no céu, por cima das terras altas da serra do Taquari que, rumando para o leste, foge do Pantanal, no meio do Mato Grosso. Apenas a velha Lua, grandona, toda redonda, iluminava o firmamento na hora da escuridão.

Eis que, então, aconteceu esta história muito estranha que desvenda toda a trama do mar de estrelas da noite que surgiu, tempos depois, naquelas terras da serra.

Na verdade, o que se deu começou quando as mulheres de uma aldeia bororo, a nação da região, foram à roça da tribo colher milho, debulhar, socar, fazer pão e bolo para o agrado dos homens que, há dois dias pela mata, caçavam carne de bicho.

Na partida, essas mulheres entenderam que teriam muita sorte na colheita, se fossem com os curumins às terras da plantação. O que assim se confirmou, pois, na roça, encontraram grandes espigas de milho, todas elas suculentas, bonitonas, madurinhas, coisa rara de se achar.

Sem descanso, satisfeitas, puseram-se a trabalhar, colher, debulhar, socar, fazendo muito fubá.

Antes de cuidar da massa para o pão e para o bolo, resolveram se banhar no rio das redondezas, num canto de corredeiras, debaixo de cachoeira, lugar bastante bonito, um enfeite para os olhos.

Deixaram toda a farinha por conta dos curumins, pois havia passarinho já de olho na colheita.

Gulosos, os curumins, estando assim à vontade, não pensaram duas vezes. Cortaram grandes bambus, que encheram de fubá, levando tudo consigo.

Com a farinha roubada, correram para a aldeia. E, na aldeia, encontraram a velha avó sempre às voltas com o papagaio gordo que criava feito um filho.

Um curumim bem crescido mostrou o fubá à velha.

– Minha avó, veja a farinha que nós trouxemos da roça! – adiantou para ela, com malícia na conversa.

A velha e o papagaio ficaram de olho grande, admirando a fartura.

– A senhora bem podia fazer pão e fazer bolo com este fubá gostoso! – disse outro curumim, por sinal um dos menores.

– Se fizer, come com a gente! – prometeu mais um moleque, dessa vez nem tão crescido nem mesmo tão pequeno.

Sem demora, havia pão, tinha bolo para todos, que se esbaldaram comendo, numa agitação medonha, com alegria tamanha que, em meio a muito riso, três ou quatro dos curumins deram com a língua nos dentes, contando toda a verdade da história do fubá.

A velha não gostou nada do caso da ladroeira em que havia se metido. Brigando com a garotada, pôs-se a dizer desaforos, um punhado de palavras, todas elas muito bravas. Coisa que o papagaio, em gritaria agitada, punha-se a repetir.

Nervosa com a confusão e armada de um porrete, a avó correu atrás do grupo de curumins.

Os moleques, muito ágeis, não se deixaram pegar e passaram a brincar de esconde-esconde com a velha, que ficou feito uma boba, correndo por todo o canto, cada vez mais furiosa.

No meio do corre-corre, eis que um dos curumins, dentre os mais fortes da turma, pegou a avó por trás, segurando sem soltar. Um outro, menos parrudo, tomou o porrete dela e amarrou a coitada com corda bem resistente de palha de buriti.

Já um garoto mais fraco dominou o papagaio, trancando a ave num cesto trançado com fibras secas de palmeira indaiá.

Pôs-se, enfim, a molecada a gargalhar da maldade.

Enquanto isso acontecia, as mulheres, lá na roça, tendo chegado do rio, descobriram o sumiço do precioso fubá.

A princípio se espantaram, pensando que um bicho grande havia levado tudo, inclusive os curumins. Chegaram mesmo a achar que alguém de outra tribo roubara toda a colheita e raptara os garotos.

Puseram-se a averiguar e não encontraram pista que fosse de bicho bravo ou de qualquer gente estranha. Apenas viram na trilha os rastros dos curumins em direção à aldeia.

– Com certeza foram eles que sumiram com a farinha! – concluíram, furiosas, indo à caça dos garotos.

Com muita raiva e às pressas, logo se aproximaram dos arredores da tribo.

Quando ouviram a barulheira das mulheres que chegavam, os curumins dispararam, indo se esconder na mata.

Por sua vez, as mulheres, quando entraram na aldeia e viram a velha amarrada mais o papagaio preso, muita migalha de pão e de bolo pelo chão, sem custo compreenderam o que havia acontecido.

Não pararam para ouvir a história embaralhada que o papagaio e a velha começaram a contar logo que libertados. Tomaram o rumo da mata, indo atrás dos curumins.

No interior da floresta, foi grande a perseguição, mas o grupo de moleques era mesmo tão esperto que, seguindo mais depressa, não se deixou apanhar.

Atrás ia a mulherada, gritando desesperada.

– Cambada de curumins! Cadê o nosso fubá?! – reclamavam as mais bravas.

– Retornem de onde estão! Voltem já para a aldeia! – chamavam algumas outras.

– Venham para as malocas, que a mata é perigosa! – muitas advertiam, já um tanto preocupadas, enquanto entardecia com a partida do Sol. E se aproximava a noite, com a Lua, surgindo, pouco a pouco, no firmamento.

Os curumins, sempre atentos, de repente escutaram o vozerio dos homens que retornavam da caça, no interior da floresta.

Viram-se, então, cercados.

Assustados, concluíram que dali só sairiam se fugissem para o alto, indo a caminho do céu. Foi quando deram de cara com um cipoal encorpado. Corda comprida e grossa que puxaram pela ponta e jogaram para cima, justo onde um tuiuiú se encontrava pousado, no topo de uma aroeira.

Na hora, o passarinho resolveu lhes dar ajuda.

Com a ponta do cipó agarrada pelo bico, voou para o firmamento. E, num instante, chegou lá no telhado do céu.

Os curumins, apressados, subiram pelo cipó. Foram muito além das nuvens.

Temendo a força dos homens e a ira das mulheres, eles se alojaram no céu e de lá não mais voltaram. Mandaram que o tuiuiú levasse o cipó dali. E ficaram reparando, olhando o que acontecia, tanto no chão da mata como no chão da aldeia.

Seus olhos arregalados, por demais impressionados com tudo aquilo que viam, começaram a brilhar, faiscando nas piscadas. Com o tempo, se transformaram no mar de estrelas brilhantes, ao lado da grande Lua, por cima das terras altas da serra do Taquari, que foge do Pantanal, tomando o rumo do leste.

SUL

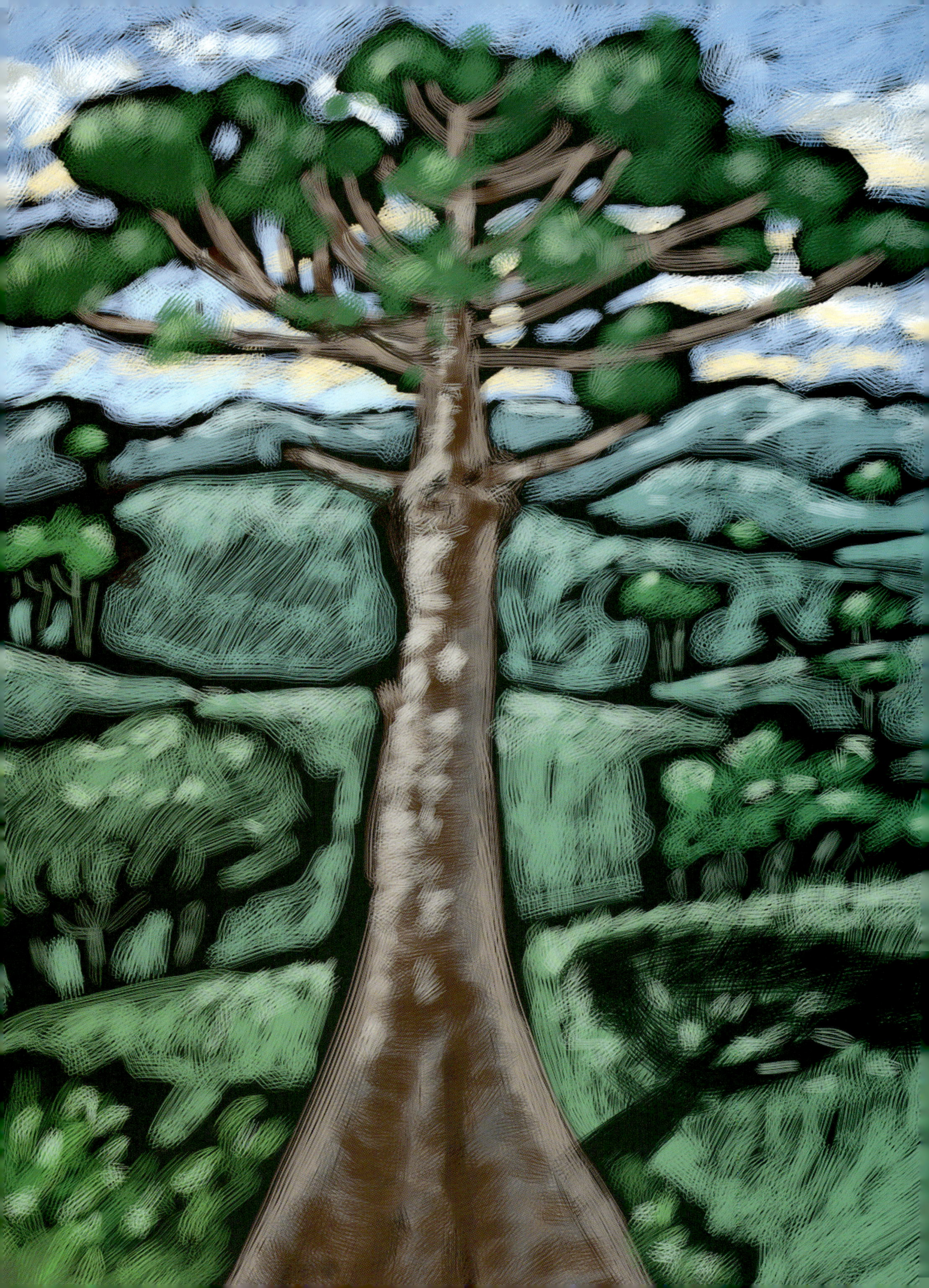

HISTÓRIAS DO PARANÁ

As terras do Paraná se estendem da beira-mar às águas do vasto rio, espécie de rio-mar que deu seu nome ao estado.

São planaltos montanhosos e também campos gerais cortados por muitas águas. Em seus tempos mais antigos, terras de *kur ity ba*, a grande araucária, o pinheiro diferente, de copa aberta no alto, numa saudação aos céus que marca sua presença. Pinheiro que, derrubado pelo colonizador, cedeu vez a cafezais que também cederam vez a plantações de soja e a cidades populosas com indústria influente mais variado comércio.

Fruto de árduo trabalho de escravos e operários, multidão de camponeses, meeiros e boias-frias, muitos assalariados, gente de todo canto, construtores da riqueza que existe no Paraná.

É um mundo, o Paraná, com povos de toda a Terra. Imigrantes que chegaram de diversos continentes, brasileiros poloneses, russos, ucranianos, holandeses, alemães, romenos, italianos, muitos sicilianos, árabes e judeus, lituanos, japoneses, suíços e coreanos, franceses e espanhóis, portugueses e africanos, havendo também gaúchos, nordestinos, argentinos, paraguaios e uruguaios, esses tantos nacionais das terras do Paraná.

Antes terras de nações de muitos povos locais, uns tupis e guaranis, outros crens e jês também. Biturunas, caiguás, terminós e carijós, caingangues, votorões, camés e cairucris, mais xocréns e cabeludos, botocudos e tinguis.

Tribos com tanta história, mitos, sonhos e lendas.

Histórias do Paraná, de seus povos mais antigos. São muitas, vale contar, ainda que apenas três. Outros que contem outras, sempre contando outra vez.

O fogo de Minarã

Nessas terras, houve um tempo entre o povo caingangue que somente Minarã, velho feio e avarento, temido e tido por deus, era senhor do fogo.

Escondido num rochedo, vivendo com sua filha às margens das águas grandes do caudaloso Iguaçu, Minarã guardava as chamas, sem jamais distribuí-las para quaisquer outros povos.

Assim, faltavam calor e luz para todo mundo, sendo bem pior no frio, sendo bem pior à noite.

Se todos sabiam disso, ninguém, por medo e submissão, jamais se dispunha a enfrentar Minarã, tirar um tição ou brasa da fogueira de seu mando, vigiada todo o tempo pela guardiã das chamas, a jovem Iaravi, filha de Minarã.

Eis que um dia houve alguém que se dispôs à missão. Um corajoso guerreiro, o valente Fietó. No sabor da liberdade, com astúcia e com magia, fez o que ninguém fazia.

Criado por sua avó, sem pai e mãe na aldeia, Fietó, quando garoto, era um curumim estranho, guardado nos seus mistérios, sempre com suas manias, modo de ser diferente.

Sendo de pouca conversa, às vezes passava horas observando calado as águas do Iguaçu. Pela manhã ou à tarde, às vezes, até a noite.

A velha avó do menino chegava a se incomodar.

– Que tentação, que segredo você procura nas águas? Que tanto olha esse rio? – interrogava insistente, imaginando o destino que temia para o neto.

Fietó não respondia. Permanecia em silêncio, tentando ler nessas águas decerto alguma resposta à provável pergunta que trazia em seus desejos.

Sabia que não gostava do frio e da escuridão que atormentavam seu povo. Também não ignorava, por histórias que ouvia contadas pelos antigos, que, no percurso do rio, bem adiante da aldeia, se encontrava a chama quente, a luz sempre desejada, guardada por Iaravi, filha de Minarã, senhor do fogo do mundo.

Tantas vezes viu o rio, as águas do Iguaçu, que um dia, nessas águas, viu seu rosto de guerreiro, não mais o rosto de um menino nem o olhar de curumim.

Foi quando ele percebeu qual era a sua missão e encontrou em seus olhos a resposta que caçava para a pergunta guardada em seu corpo de valente.

– Tenho que tomar o fogo que Minarã traz consigo, iluminar toda a Terra e trazer calor ao mundo – decidiu Fietó.

Implorou ao Sol e à Lua, às arvores e à mata, aos animais da floresta. Queria da natureza um ardil e mesmo as armas para enfrentar Minarã, enganar Iaravi, tomar o fogo para si.

Por mais que esperasse um dia, outro dia e mais um dia, não obteve a resposta, o auxílio que queria.

Vendo que o Sol partia e que a Lua nascia igualmente em silêncio, vendo a mata calada nesse terceiro dia, sem esperança de ajuda, percebeu junto de si, sentada à beira do rio, a presença da avó.

– Sem vacilar, Fietó, vá até a outra margem! Mergulha logo nas águas e sai do lado de lá! Só assim há de encontrar aquilo que é preciso para realizar seu sonho de curumim e destino de guerreiro! – com essa sabedoria, a velha instruiu o neto, movida por seu amor.

Não olhando para trás, foi o que fez Fietó.

Nesse mergulho seguro atravessou todo o rio e, quando alcançou a margem do outro lado da aldeia, viu-se, então, transformado numa imensa gralha branca, ave de vasta magia, rara no céu do mundo.

Fietó rondou os ares, três vezes rondou os ares, sobrevoando a avó e a aldeia da tribo. Daí, prosseguiu viagem até alcançar as terras, o rochedo em que viviam Minarã e sua filha.

Foi quando viu a fogueira, o tesouro vigiado pela bela Iaravi.

Alumbrado com o fogo, pousou num ipê dourado todo coberto de flores, junto às águas do Iguaçu.

Lá distante, bem armada, atenta ao fogo sagrado, Iaravi, vigilante, viu a ave no ipê. Sem saber que era encantada, sem sequer desconfiar que a ave era Fietó, pediu ao pai que lhe desse aquele pássaro branco.

Minarã mirou a gralha e não gostou da presença da ave no pé de ipê.

– Isso parece feitiço! Eh! Eh! É feitiço, sim! Claro que só pode ser! – resmungou, catando pau, pegando pedra no chão, indo assustar a gralha.

– Que feitiço qual o quê! É só mesmo um passarinho enfeitando a natureza! Pega o bicho para mim! – disse Iaravi procurando conter a desconfiança que incomodava seu pai.

Sem ouvir ponderação, seguro de seu temor, Minarã jogou um pau, uma pedra e rogou praga contra o pássaro na árvore.

Rapidinho de onde estava, no ipê em que pousara, a gralha voou tão alto que nada lhe alcançou. Permaneceu contornando a cumeeira do céu, planando de asa aberta, com sua sombra indo e vindo sobre a terra e sobre as águas do poderoso Iguaçu.

Minarã ainda insistiu, querendo a ave distante.

– Some daqui, bicho branco! Não chega perto! Não chega! – gritava de onde estava, jogando pedra no céu.

Fietó não se abalou. Transformado em gralha branca, permaneceu em seu voo. Aguardava a hora certa de tomar e dar ao mundo o fogo de Minarã. E por três dias voou, desde a manhã até a tardinha.

Sem se deixar notar, guardava-se toda noite numa toca bem no topo do rochedo em que viviam Iaravi mais o pai.

O velho senhor do fogo aos poucos se acostumou com a presença da gralha. Mais calmo, não se importava com a ave branca no céu.

No passar de cada dia, Iaravi mais queria ter a gralha para si. Chegava a se distrair da vigilância do fogo, mantendo os olhos presos, acompanhando no céu a trajetória da ave.

Eis que no terceiro dia, quando já partia o Sol, dando hora e vez à Lua, Fietó, ao perceber que Minarã se encontrava bem longe, seguindo pista de caça na mata virgem, pôs-se a sobrevoar as águas do Iguaçu, bem juntinho do rochedo em que a bela Iaravi guardava o fogo sagrado.

Desceu e roçou as asas nas ondas do grande rio. Por fim, deixou-se tombar e mergulhou nessas águas. Parecia que afogava, certamente por cansaço.

Ao ver o que acontecia, tomada de desespero, Iaravi se perdeu da vigilância das chamas e correu até o rio, indo socorrer a gralha.

Trouxe o pássaro consigo, completamente molhado, encolhido, assustado. E pôs-se a esquentá-lo próximo ao fogo do pai. Certa do que fazia, cheia de contentamento, não notava Iaravi que aquilo era um ardil do astuto Fietó.

Liberta das mãos da moça, a gralha, logo que se enxugou, pegou no bico uma brasa da fogueira e voou daquele canto rumo ao topo do rochedo. Ali, ela se escondeu na sua toca de pedra.

Protegia-se da noite que começava a chegar. E guardava-se da ira do perverso Minarã.

Na manhã do outro dia, haveria de saber o que fazer com o fogo que roubara para o mundo.

Magoada pelo golpe que acabara de sofrer, traída por sua ave e tendo traído o pai na vigilância das chamas, Iaravi, sem destino que lhe desse redenção, pôs-se a gritar de dor, dor profunda na alma, dor forte no corpo inteiro sem valia para a vida depois do acontecido.

Claro está que Minarã, sem demora, ouviu os gritos e chegou até a filha. Ao saber do ocorrido e mais do fogo perdido que a gralha branca levara, armou-se com um porrete, indo caçar a ave mesmo em meio à noite escura.

– Ah! Feitiço! Ah! Maldito! Juro que pego você! Juro que apago essa brasa que tirou de meu poder! – ameaçava Minarã, enquanto, armado, subia para o topo do rochedo.

Logo localizou o esconderijo da gralha. Assim, na escuridão, não viu a ave por lá, mas viu a brasa brilhando bem no fundão da toca, onde não pôde entrar por ser buraco pequeno, ainda que bem comprido.

Meteu-se a cutucar com o porrete o buraco, tentando alcançar a gralha, tentando apagar a brasa.

Lá, em seu esconderijo, Fietó, mais uma vez no corpo da gralha branca, mostrou-se sábio e astuto. Arrancou plumas do peito e bicou a sua carne, deixando jorrar seu sangue que, assim, marcou a arma do malvado Minarã.

Ao perceber seu porrete todo manchado de sangue, o velho se convenceu de que a ave estava morta.

Agora, só precisava apagar a luz da brasa ainda acesa na toca.

Tentou uma, duas, três, várias vezes, sempre em vão. Tanto cutucou a toca que se cansou de tentar. O fogo até parecia que mudava de lugar, coisa que Minarã não percebia direito, no meio da escuridão daquela noite do mundo.

– Com o tempo, a brasa apaga... Amanhã retorno aqui só para conferir – pensou, todo confiante, retornando à sua casa perto do pé do rochedo, onde encontrou a fogueira, sozinha, sem sua filha, que fora embora dali.

Temendo a ira do pai, Iaravi, ao fugir, perdeu-se dentro da noite.

Uns dizem que se afogou nas águas do Iguaçu. Outros ainda adiantam que a moça vive castigo, feito assombração na mata, por praga de Minarã. O que ninguém assegura, sendo crendice sem prova.

Mais tranquila em sua toca bem no pico do rochedo, a gralha, mesmo em meio à escuridão, pegou a brasa e voou para o ipê.

No ipê pousou um tempo, até que voou de novo, indo para além do rio, na outra margem, onde encontrou um pinheiro, pousando num de seus galhos, lá nas alturas da árvore.

Ao pousar, perdeu a brasa, que despencou de seu bico, indo cair noutro galho, desta vez, um galho seco, quase no pé do pinheiro.

O galho se incendiou, tornando-se tocha viva. Sem custo caiu no chão, incendiando a campina e iluminando a noite que virou um fogaréu.

As tribos dos arredores perceberam o clarão.

Na aldeia de Fietó, claro que foi sua avó quem primeiro viu as chamas.

– Isso é obra de meu neto! Isso é obra de meu neto! Isso é obra de meu neto! – ela insistia, aos gritos, conclamando sua gente a buscar parte do fogo que agora era de todos. E foi o que aconteceu na alegria dos povos das margens do Iguaçu e do vasto mundo afora.

De resto, contam ainda os senhores desta história que, perdendo o seu poder, Minarã tornou-se fera, bicho feio, bicho bravo, quem sabe porco do mato, perdido na mata virgem.

Do destino que restou ao guerreiro Fietó, adiantam que o moço, após cumprir o seu sonho de curumim caingangue, não tornou à forma humana, se manteve feito ave, ave rara, gralha branca, dessas que algumas vezes, por obra de muita sorte, alguém encontra nos galhos de um ipê amarelo ou pinheiro *kur ity ba*.

NAIPI E TAROBÁ

    Também contam os caingangues das margens do Iguaçu que o governante do mundo era a serpente Mboi, habitante colossal das profundezas do rio e filho do deus do céu.

    Lembram que certa vez, após tempos de tragédias causadas por tempestades que inundaram as terras, o cacique Igobi, procurando apaziguar a ira do governante, ofereceu sua filha em casamento a Mboi.

    Claro está que a serpente agradou-se com a oferta, doando sossego ao rio e bons peixes para a aldeia. Retribuição que trouxe muita alegria à tribo.

    Acertou-se, então, a data da cerimônia sagrada, quando a bela Naipi, filha de Igobi, seria lançada às águas, indo encontrar o marido, o poderoso Mboi.

Acontece que a jovem vivia paixão de infância por um guerreiro da tribo, o valente Tarobá, fato muito conhecido e acerto anterior à promessa de agora, ajuste que o cacique e a mãe de Naipi não podiam descumprir.

Naipi, entristecida, foi reclamar com o pai.

– Meu pai, por que me entregou a esse amor de Mboi, se sabia que eu devia me casar com Tarobá?

– Minha filha, Tarobá há de nos compreender e perdoar nossa falta. Se prometo sua vida, seu corpo inteiro à serpente que governa toda a Terra, o faço por benefício que desejo para a tribo – respondeu-lhe Igobi, sem ter mais o que dizer.

Acontece que o guerreiro não aceitou o destino que lhe impôs o cacique. Reuniu os anciãos e falou de seus direitos, implorando proteção. Mas ninguém lhe deu ouvidos, temendo contrariar a vontade de Mboi.

Tarobá, apaixonado, meteu-se dentro da mata em busca de outra ajuda que evitasse aquela trama armada por Igobi.

Pediu luz aos vaga-lumes, que são lanternas dos deuses faiscando na floresta. Que lhe indicassem percurso por onde pudesse ir e fugir com Naipi.

Os vaga-lumes, porém, amorteceram suas luzes e por fim se apagaram, negando qualquer auxílio.

Um tanto desesperado, o moço se dirigiu às plantas e aos outros bichos que viviam na floresta. Que lhe dessem um conselho, um aviso ou proteção.

As árvores se guardaram, mais as flores se fecharam e os animais foram embora por temerem a serpente, o governante do mundo.

Naipi, por sua vez, se dirigiu às estrelas, que são os olhos das mães quando viajam pro céu. Também reclamou com a Lua.

– Eu nunca serei capaz de transmitir a Mboi o amor que ele merece, pois todos os sentimentos que pulsam nos meus desejos pertencem a Tarobá – assim falou para os astros, plena de desespero.

As estrelas e a Lua permaneceram caladas diante de seu lamento.

Quando veio a madrugada do dia da cerimônia em que o cacique Igobi entregaria sua filha ao poderoso Mboi, Naipi e Tarobá, sem que ninguém notasse, foram embora da aldeia.

Pegaram grande canoa e entraram no Iguaçu, seguindo as águas do rio rumo à nascente do sol. No empenho dessa fuga, os dois levavam certeza de encontrar na aurora um deus que lhes desse abrigo, sossego para viver o amor que os unia.

Enganavam-se os amantes.

Lá, nas entranhas do rio, Mboi percebia tudo e cobria-se de ira. Não podia admitir que lhe roubassem a moça prometida em casamento.

Tramando cruel vingança, a serpente colossal moveu-se com violência nas profundezas da Terra. Cavou abismo terrível sob as águas do Iguaçu, provocando corredeiras e mais vasta cachoeira de tamanho nunca visto, bem pertinho de onde Tarobá e Naipi estavam empenhados em fugir.

Logo o tumulto do rio mudou de curso a canoa que levava os dois amantes. Naipi e Tarobá, arrastados para oeste, na direção do poente, onde finda a luz do dia e começa a noite escura, viram-se no percurso da imensa queda d'água, boca gigante, sem fim, onde tomba o Iguaçu.

Cobertos de desespero, perceberam a armadilha, a vingança da serpente.

Pediram ajuda às terras que margeavam o rio. Pediram socorro aos céus. Gritaram em vão para as aves, gritaram em vão para os peixes, clamando por piedade.

Ninguém ousou ajudar.

Só no último instante, quando o barco dos amantes já caía em queda livre rumo à garganta do abismo que bebia o Iguaçu, é que as águas reagiram e impuseram magia que preservou para o tempo, feito lembrança infinita, o amor de Naipi, a paixão de Tarobá.

Com a magia das águas, Naipi tornou-se pedra. Um imponente rochedo, eternamente presente em lugar inalcançável, no centro da cachoeira, bem na linha em que tomba a catarata do rio.

E Tarobá fez-se árvore, com raízes fixadas, parte dentro do Iguaçu, parte nas terras da margem. Árvore que se curva em direção ao rochedo.

Na saudação que perdura, entre a árvore e a pedra, não se tocam os amantes. Unidos pelo olhar, vencem, porém, a maldade do governante do mundo, o poderoso Mboi, condenado à solidão, sem conseguir separar Naipi e Tarobá.

As pedras de Vila Velha

Ainda no Paraná, em grandes campos gerais distantes do Iguaçu, não longe do Tibagi, nas terras que hoje estão junto do rio Jordão e do rio Quebra-Perna, há muito tempo viveu uma nação bem antiga, dona de vasta riqueza. Povo que tinha ouro e pedra de muita cor, mais fartura de guerreiros, de caças e plantações.

Esse povo poderoso que se dizia afilhado, durante o dia, do Sol e, em meio à noite, da Lua, na defesa de seus bens contra as nações vizinhas, escondia seu tesouro em local abençoado, no Abaretama sagrado, uma planície vermelha, cercada de pés de ipês, uns dourados, outros brancos.

Cuidando do Abaretama, ficavam os apiabas. Vários guerreiros armados, todos filhos do Sol e também filhos da Lua, escolhidos pela sorte desde o dia em que nasciam, por sinais que eles traziam. Eram assim educados na arte de combater e proteger em segredo o tesouro de sua gente. Segredo que, por sinal, sendo sempre preservado, agradava Sol e Lua, trazendo mais sorte à tribo.

Consagrados à missão de vigiar o tesouro de ouro e pedra de cor na planície dos ipês, esses fortes apiabas recebiam de seu povo as maiores regalias, as mais vastas homenagens, a mais plena vida régia.

Mas era vedado a eles qualquer encontro marcado, qualquer forma de contato, de amor ou de amizade, com as jovens da aldeia e também das outras tribos. Proibição decidida por temor dos anciãos, certos de que as mulheres, sempre muito curiosas, ousariam dominar com palavras sedutoras os valentes apiabas, dispostas a descobrir o segredo bem guardado do Abaretama sagrado. Segredo que, revelado, viajaria no vento até algum inimigo, descontentaria o Sol, desagradaria a Lua, trazendo infelicidade, maldição, tragédia eterna à nação poderosa, senhora daquelas terras.

E foi o que aconteceu, quando Duí, o mais belo, o mais forte, o mais valente dos temidos apiabas, guardiões do Abaretama, descumprindo o voto eterno, a dura proibição de não tocar em mulher, entregou-se à paixão pela bonita Aracê, conforme assegura a história, plena de controvérsias, contada tempos depois.

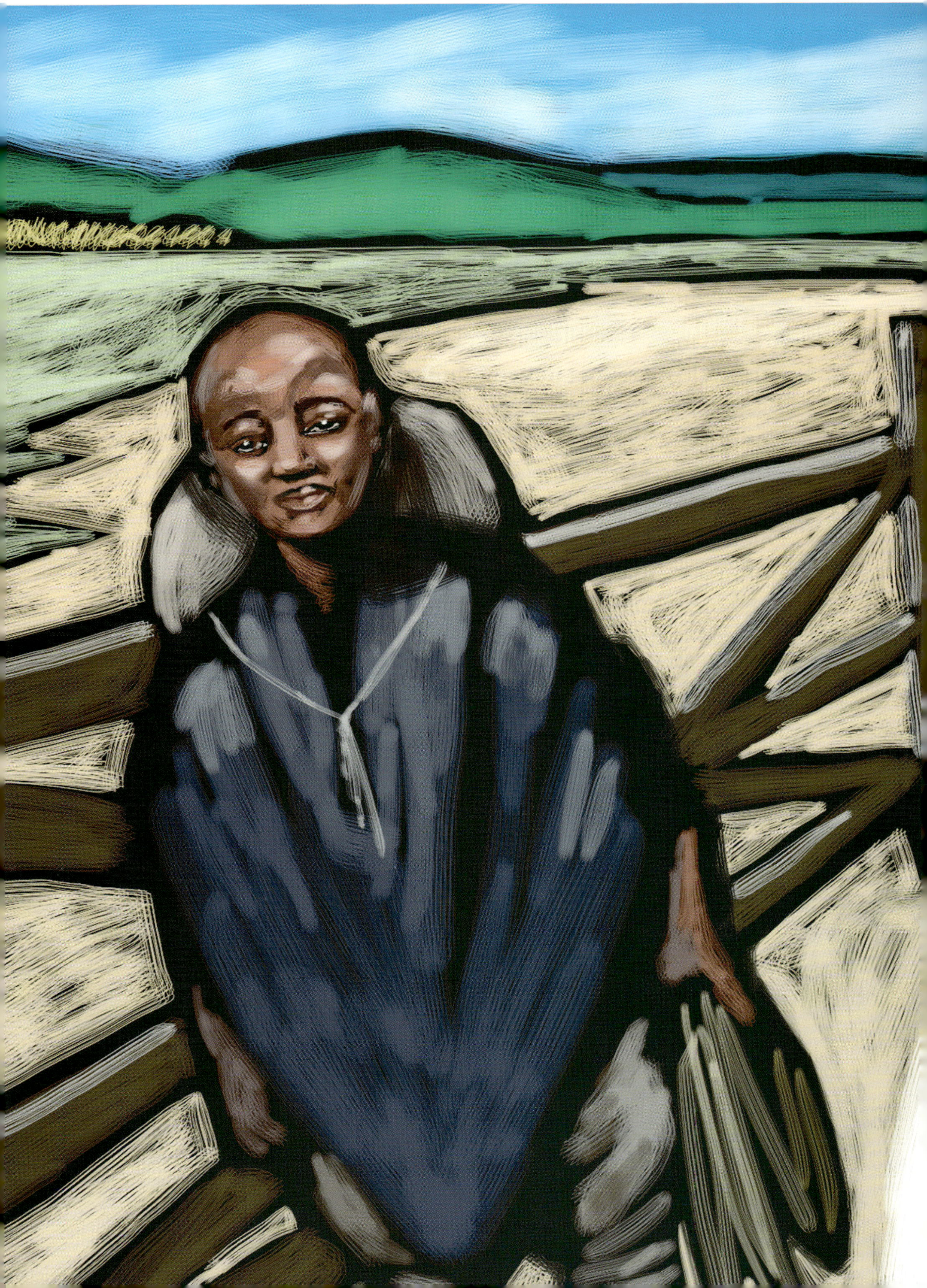

O MENINO NEGRO

Era um menino negro, comprido, forte e esperto, piá de boa presença que servia feito escravo numa estância de tropilha perto do Alegrete, na região da campanha do Rio Grande do Sul.

Guri que, na controvérsia, não se sabia direito como chegara até lá.

Uns costumavam dizer que ele fora comprado e, nessa compra, tirado do leite de sua mãe em um mercado de negros de São Lourenço do Sul, por capricho de estancieiro da cidade de Alegrete, tipo bastante malevo que não valia vintém no trato com seus escravos.

Outros, com outra história, garantiam que o menino viera de Santiago, da região missioneira, trocado em negociata por uma égua sem potro. Que chegara até o mando de seu senhor do Alegrete para fazer companhia, brincar, cuidar do guri que era filho do estancieiro, ainda que, na verdade, malgrado a pouca idade, fosse pau de toda obra, piá escravo faz-tudo, sempre debaixo de grito, sempre debaixo de relho.

Na vista de todo mundo, o certo é que o menino se encontrava por lá, nessa estância de tropilha, sofrendo nas mãos do dono.

Isto desde pequenino, em meio às obrigações, no correr de todo dia.

Ainda de madrugada, antes da estrela d'alva, junto de Seteléguas, um parelheiro baio por quem tinha estimação, pastoreava a tropilha de potros, éguas, cavalos até o firmar do sol.

Daí, às pressas, voltava para a casa da estância, devendo aviar o mate, preparar o chimarrão, mais o rancho da manhã, conforme o gosto do dono. Também cuidava de dar comida para os cachorros e criações do quintal.

Disto, cumpria serviço de recadeiro da turma que se encontrava em labuta, mais cuidava de fazer pequenas arrumações até a hora do almoço.

A partir desse momento, ficava às ordens do filho do estancieiro patrão, guri perverso, covarde, que sempre tramou maldade contra o menino negro, rindo desses maus-tratos, das ruindades que fazia.

Se não tinha o que fazer, só para se ocupar, voltava a pastorear algum rebanho da estância, ver a tropilha no pasto, as ovelhas ou os bois, pois, conforme o estancieiro, qualquer escravo, na terra, não devia nem podia sossegar um só instante.

– É coisa que contradiz a vida no cativeiro e só me dá prejuízo. Se o negro fica parado, fica mal acostumado, fica pensando tolice. Agita, logo, piá! Vai cuidar do que fazer! – gritava com o menino.

E assim passava o dia.

Quando chegava a noitinha, bem montado em Seteléguas, ia o menino negro buscar no pasto a tropilha. Recolhia os animais no piquete da estância, onde ficavam guardados, protegidos no cercado.

Antes de ir dormir, tinha mais o que fazer. Limpava as botas do dono, arrumava algum arreio, cuidava de dar remédio a qualquer bicho da casa que se encontrasse doente, coisa que se estendia por parte da noite adentro.

Tudo isso em meio aos berros, ameaças, bofetadas e constantes chicotadas do senhor dono da estância e do filho do estancieiro, por algum esquecimento, por atraso no trabalho, por mostrar algum cansaço ou demonstrar alegria junto de Seteléguas.

Que fazer, se era escravo, sem pai, sem mãe, sem ninguém, sem proteção de peão, de madrinha ou de padrinho, coisa que nem sabia se possuía no mundo? Que fazer, se era escravo, negrinho do pastoreio em estância do Alegrete, na região da campanha do Rio Grande do Sul?

De modo que era assim, a vida desse menino.

O que estava para vir, por ainda acontecer, não prometia a ninguém que seria bem melhor.

O caso dos dez novilhos

E foi o que aconteceu, quando o estancieiro comprou uma ponta de novilhos numa troca de animais em terras de Pau Fincado, perto de Bom Retiro.

Dez novilhos encorpados, gado de engorda e charque, gado novo, gado esperto que pedia vigilância, olho constante de alguém, para que não se perdesse na imensidão dos pastos que iam além da estância, pois no tempo desta história as terras não tinham cerca. Para serem garantidas, como posse de algum dono, muitas vezes dependiam de posteiros bem armados que viviam nas divisas, entre uma estância e outra.

Nesse mundo sem fronteiras, todo gado mais arisco, desacostumado ao pasto, novo na região, pastava na companhia de seu pastoreador. No caso dos dez novilhos, coube ao menino negro a missão do pastoreio.

– Tu me cuidas deste gado com a mais precisa atenção, pois cada um dos novilhos vale mais que tua vida. Se sumir uma cabeça, tenho relho e tenho toco para te cobrar a perda! – ameaçou o senhor.

Ainda que fosse inverno, com neblina e com geada gelando a grama do chão, cuidou daqueles novilhos conforme mandou o dono. Cuidou no primeiro dia, no segundo, no terceiro e nos dias adiante, além de também cuidar das velhas obrigações no pastoreio e na casa, sempre com Seteléguas, sem sossegar um instante.

Acordava no escuro, junto da madrugada. Já montado em Seteléguas, ia para o piquete. Soltava, então, a tropilha que seguia para o pasto sem precisar de atenção, pois conhecia a estância, sendo bem-acostumada, diferente dos novilhos.

Voltava, então, para casa.

Daí acendia o fogo, punha água na chaleira, preparava o chimarrão, o mate pronto na cuia, no agrado de seu dono. E aprontava a comida para dar à cachorrada, aos animais do quintal.

Ainda na escuridão da madrugada de inverno, reunia os dez novilhos no cercado do curral para levá-los dali a outro pasto da estância, onde devia chegar antes do amanhecer.

Passava o dia no pasto, vigiando a novilhada.

Se um ou outro novilho se afastava dos demais, corria com Seteléguas, indo buscar o fujão.

Às vezes, por alegria, cavalgava em seu baio percorrendo os arredores, sem jamais perder de vista os novilhos que pastavam. Brincava com Seteléguas, punha o cavalo empinado, trotava com maestria. Está claro, sempre atento, para que não fosse visto pelo senhor das terras ou pelo guri, seu filho, que sempre repreendiam e até mesmo batiam se deparavam com ele nessas horas divertidas.

Quando findava a tardinha, reunia todo o gado para trazê-lo ao curral. Pegava pelo caminho a tropilha que pastava.

Assim, o menino negro retornava à estância.

À noite, ainda arrumava muita coisa por fazer, sem se esquecer de cuidar da ração de Seteléguas e da limpeza das botas do estancieiro, seu dono.

Só parava bem depois, quase tombando de sono.

De modo que, no entender do gosto de seu senhor, seguia com bom proveito o serviço que cumpria aquele piá escravo como pastoreador dos dez novilhos comprados nas terras de Pau Fincado perto de Bom Retiro.

Isto, por uma semana, pois, na semana seguinte, em meio a uma ventania, chuva fria de inverno tarde escura feito noite, um novilho desgarrou-se do grupo que retornava para o curral da estância.

Na hora, o menino negro não deu conta do ocorrido.

Seguiu percurso adiante e só percebeu o fato na porteira do curral, no instante em que cuidava de separar a tropilha de potros, éguas, cavalos, deixando ali os novilhos

Viu então que eram nove, não sendo dez feito antes, pois faltava justamente o bezerro azeitonado, o de porte mais mirrado.

Prendeu tropilha e novilhos no piquete e no curral.

Em seguida, sem demora, correu à casa da estância para relatar o fato.

Ao se inteirar do que houve, o estancieiro, seu dono, pôs-se a gritar com o menino. Bateu forte com o relho nas pernas e até no rosto, no corpo inteiro do escravo.

– Baita guri desgraçado! Demônio! Menino à-toa, que só me dá prejuízo! Não vales sequer a broa que comes em minha casa! Volta já para o pasto e só me retorna aqui com o novilho no laço, custe a ti o que custar!

– Sim, senhor... Mas, meu senhor... Faz muito frio lá fora... Amanhã, pego o bezerro... Juro que trago o novilho... – defendia-se o piá, tentando escapar do relho.

– Que amanhã, seu patife?! Vai agora e sem demora! Encontre o bezerro vivo! Se trouxer o bicho morto, te enterro junto na cova do novilho azeitonado! – gritava e batia mais, o senhor daquelas terras

O filho do estancieiro, o tempo todo só rindo com ar de perversidade, resolveu interferir.

Tentava instigar o pai a bater com mais vontade:

– Esse guri é farsante! Deu fuga a nosso novilho! Fez o que fez de propósito! Vai que vendeu o bezerro para um paisano qualquer!

– Isso eu não fiz, não senhor! Eu nem vi o que se deu... Acho que foi... – negou, o menino negro.

– Cala boca, seu safado! Trata de te acertar e vai buscar o novilho! – gritou o dono das terras, interrompendo o escravo.

– Deixa que vou com ele! Esse carne-de-cobra é bem capaz de fugir, se sai sozinho daqui! – pediu o filho ao pai.

O estancieiro, porém, não deu permissão ao filho:

– Onde tu estás com a cabeça?! Sair nesta noite escura, nesse frio regelado, à procura de um bezerro. Tem guará pelo caminho, tem onça, tem boitatá! Isso é serviço de escravo e não te metas a besta!

– Não tenho medo de escuro nem de animal do mato e, muito menos, de frio! Até tenho mais idade do que esse negrinho à-toa que perdeu nosso novilho! Claro que posso ir! – tornou o menino branco a insistir com o pai.

– Tu tratas de ir dormir e não me faças perder a paciência contigo! Este relho também serve para marcar o teu corpo! – decidiu o estancieiro, cortando o gosto do filho.

Logo, em seguida, apressou o cumprimento da ordem dada ao menino negro. E, sem demora, o piá, mesmo com marca de relho, com dores no corpo inteiro, meteu-se na pastaria.

Montado em Seteléguas, pôs-se a caçar o novilho.

A parelha do Alegrete

De tudo o que aconteceu naquela noite de inverno, o que se diz com certeza é que o menino encontrou o tal novilho sumido só em alta madrugada, depois de muita procura.

Cansado, zonzo e perdido, o bezerro azeitonado estava nas redondezas de um velho bamburral em uma estância vizinha. Sem a menor resistência, submeteu-se ao mandado e ao laço do guri.

Quase já amanhecia, quando o piá escravo trouxe consigo o fujão, que bem trancou no curral. E, disto, o menino negro não sossegou um instante.

Mesmo estando machucado, cansado, mesmo ferido, preparou o chimarrão no agrado de seu dono, alimentou os cachorros e os animais do quintal.

Já montado em Seteléguas, encaminhou a tropilha, além dos nove novilhos, para pastorear. Deixou o azeitonado protegido no curral, com ração suficiente para passar o dia.

Quando voltou à noitinha, não topou com novidade.

Cuidou das obrigações, feito tinha de cuidar.

Deu ração a Seteléguas, limpou as botas do dono, arrumou alguns arreios, pôs unguento nas feridas, nas marcas de chicotadas entranhadas em seu corpo e tratou de ir dormir para acordar bem cedinho no escuro da madrugada, prosseguindo em sua vida de guri do pastoreio.

Assim correram os dias de uma semana e outra, sem outro maior transtorno no cativeiro da estância, apesar dos mesmos gritos, das duras repreensões e do jeitão de carrasco do senhor daquelas terras. Tratamento de costume no tempo da escravidão.

E, nas paragens do frio daquele inverno sem fim, aconteceu novidade quando, em festa no Alegrete, o estancieiro acertou uma aposta, uma parelha entre o baio Seteléguas e o mouro Cortavento, que pertencia a ricaço, dono de muito gado e também de muito escravo, tipo até apessoado, homem doutor, estudado, que mandava e desmandava nas terras de Catimbau, uma cidade vizinha.

No ajuste da parelha, além do dinheiro em jogo, trinta patacões de ouro, mais outros trinta de prata, estavam os dois cavalos. Com certeza, no embate, o que mais interessava ao senhor de Catimbau, por gostar de Seteléguas. Quanto à prata, mais o ouro, para arrebanhar torcida, contar prosa com o povo, ele havia prometido distribuir para os pobres, caso vencesse a corrida.

Já o senhor do Alegrete, dono de Seteléguas, se saísse vencedor nessa parelha acertada, queria tudo pra si, todo o ouro e toda a prata, mais o mouro Cortavento, não dando nada a ninguém, nem aos ricos, nem aos pobres, pois não gostava de agrados nem era homem disso.

Assim, chegou o momento de comparar os cavalos na corrida combinada.

Ao redor, muita plateia.

Uns a favor do baio, certos de que o melhor era mesmo Seteléguas, animal mais vigoroso, mais encorpado, raçudo.

A maioria, porém, torcia por Cortavento, pois, com a vitória do mouro, trinta patacões de ouro mais outros trinta de prata passariam para o povo.

Sem prosseguir no suspense, um oficial da guarda chegado de Porto Alegre, feito juiz da parelha, logo ordenou a partida.

Comandando Seteléguas, estava o menino negro da estância do Alegrete.

O rapaz que era filho do mandão de Catimbau controlava Cortavento.

Todos os dois, bons ginetes de fama reconhecida. Aquela prova de agora haveria de dizer qual deles era o melhor.

Competia aos animais dar vinte voltas na cancha. Após cumprir o percurso, cabia, ao vitorioso, vencer na reta final. Era esse o combinado.

No início da parelha, Seteléguas disparou rompendo boa distância na frente do adversário.

Cortavento parecia que mais era calmaria, marasmo que para o ar e cessa navio a vela no meio do mar imenso. Isto, nos primeiros lances.

– Corre mais forte, piá! Acaba de vez com o mouro, pois, se perdes a parelha, te esfolo, sangro teu corpo com meu relho, desgraçado! – gritava o estancieiro, ameaçando o guri.

A torcida, dividida, animava Cortavento, instigava Seteléguas.

Ora o mouro ameaçava, ora o baio recuava, mas, logo, recuperava tomando frente outra vez. E prosseguia a corrida, indicando que o baio da estância do Alegrete conquistaria a partida.

Vitória bem merecida, todos reconheciam, ainda que muita gente não quisesse que assim fosse, pois, caso vencesse o mouro, tanto o ouro como a prata seriam do povo pobre da região da campanha, conforme já prometera o senhor de Catimbau, dono de Cortavento.

De repente, o que se deu, ninguém jamais entendeu. Até tomou por milagre. Justo na reta final, com a parelha já ganha, praticamente ganha, o parelheiro baio deu passagem a seu rival.

Foi o que aconteceu desde fato muito estranho, quando, no meio do povo, uma china guarani, mulher de olhar infeliz, suja, descabelada, de roupa velha rasgada, levando um filho no colo, gritou alto de onde estava.

Três vezes, ela gritou, com sua língua enrolada:

– Seteléguas, pingo bueno, não tira a plata dos pobres! Compadeça dos pequenos! Dê a vez a Cortavento! – o que todos escutaram, ficando um tanto espantados, até mesmo arrepiados, com o clamor da mulher.

Foi pedir e acontecer.

Por mais que o menino negro instigasse seu cavalo, o parelheiro estancou, empinou, ficou de pé, nem chegou ao fim da cancha. Sem seguir mais adiante, entregou sua vitória ao mouro de Catimbau, dando os patacões de ouro mais os patacões de prata para os pobres que aguardavam e bem mais necessitavam, conforme lhes prometera o senhor de Cortavento.

De modo que houve farra, a maior animação, quando o juiz da partida definiu para os presentes o vencedor da parelha.

Em meio ao xará-xaxá, claro está que o estancieiro da cidade do Alegrete mal engoliu a derrota. Com cara de bode bravo, na frente de todo mundo, pagou a aposta feita. Entregou todo o dinheiro que se encontrava apostado, mais o baio Seteléguas a seu novo proprietário.

Sem conter a sua raiva, desdenhou o resultado:

– A vitória desse mouro que chegou de Catimbau e se chama Cortavento quem cedeu foi meu peão, por não saber comandar o baio que tinha em mãos! – comentou, em voz alta, para quem quisesse ouvir.

O recado tinha dono, mais endereço certo. Justo o menino negro que haveria de pagar pelo ódio do estancieiro com a derrota sofrida.

Castigo e perversidade

Já na estrada, rumo à estância, o relho cantou dobrado nas costas, no corpo inteiro do piá que ia a pé entre o dono, mais o filho.

Os dois iam a cavalo, sempre açoitando o escravo.

– Um bandido, esse piá! Por maldade e por vingança deixou o mouro ganhar só para nos humilhar – resmungou o estancieiro no percurso da estrada.

– Sempre soube e avisei que o guri não vale nada. Se na parelha de hoje eu levasse Seteléguas, seríamos vencedores, ficando com ouro e prata, mais o mouro Cortavento! – assegurou ao pai o filho do estancieiro derrotado no Alegrete.

– Seria muito pior! Tu cavalgas feito pedra e és péssimo ginete! – logo o pai desaprovou. – O que tirou nosso prêmio foi a bruta traição desse negrinho safado, tipo à-toa, vagabundo que não vale o pão que come!

– Não foi traição, senhor! Seteléguas estancou para dar o ouro aos pobres! Foi só o que aconteceu! – disse o garoto escravo, buscando se defender.

E o relho bateu mais forte, lanhando o menino negro todo banhado de sangue.

– Não perdestes Seteléguas para o mouro Cortavento?! – com seu sorriso malevo, o filho do estancieiro provocou o infeliz. – Agora teu pastoreio dos novilhos e tropilha há de ser sem montaria, piá de pouca valia que nunca entendi por que meu pai mantém como escravo.

Por fim, chegaram os três às terras da estância.

Pai e filho se guardaram na sede da propriedade.

Já o guri ferido com a punição do patrão, após cuidar dos cavalos, desmontar os seus arreios, dar comida aos animais, após lavar as feridas, tirar as manchas de sangue, passar unguento nas marcas que o relho gravara nele, comer duas broas secas, assim sossegando a fome, recolheu-se no curral que servia à novilhada.

Ali cuidou de dormir para esquecer sua dor. Outro peão da estância havia, naquele dia, encaminhado novilhos e tropilha até o pasto.

Antes do amanhecer, mesmo a pé, sem Seteléguas, estava o menino negro empenhado no esforço de suas obrigações, apesar do forte frio e do corpo dolorido.

Ia a pé, sem Seteléguas. Pastoreava assim mesmo, voltando ao anoitecer, sempre atento aos animais para não perder nenhum, pois, caso sumisse algum, as maldades do senhor e do filho do senhor, sem nenhuma piedade, desabariam pesadas sobre seu corpo inteiro.

Foi o que aconteceu, logo dois dias depois, quando, em meio à noite escura, noite fria, puro breu, o filho do estancieiro, sempre maula, covarde, por pura perversidade, abriu as duas porteiras – a porteira do piquete e a porteira do curral –, dando fuga à tropilha e à toda a novilhada, enquanto o menino negro dormia sono cansado da labuta de seu dia.

Perto do amanhecer, sem os potros e os novilhos, sem as éguas e os cavalos, avisado pelo filho, que fingia inocência naquilo que acontecia, o estancieiro malevo tanto bateu no escravo que deixou seu corpo inteiro feito corpo em carne viva.

Determinou que o piá fosse atado com corrente em um toco no curral. Que ficasse exposto ao tempo, dia inteiro e noite inteira. Que ninguém desse comida nem água de beber, deixando o menino negro entregue à sua desgraça.

Logo em seguida, ordenou a um peão da estância que tratasse de encontrar a tropilha e os novilhos. Que campeasse o perdido, trazendo tudo de volta.

Vale dizer que o empregado nem sequer viu sombra do gado, não encontrando os fujões, voltando de mãos vazias.

Menino milagreiro

Daqui pra frente, a história tornou-se bem controversa.

Testemunhas adiantam que o menino faleceu no entardecer desse dia.

Contestando, outros falam que, na verdade, o piá, por demais enfraquecido, apenas desfaleceu, sendo tomado por morto.

Todos, contudo, confirmam que o corpo do guri, por gosto de seu senhor, no despontar da noitinha, foi entregue feito pasto à fome das formigas de um grande formigueiro que havia no sombreado de uma espinheira santa, ao longo da pastaria.

Revelam que o estancieiro, ajudado pelo filho, foi quem preparou a cova na terra do formigueiro.

Acrescentam, sem demora, que, terminado o enterro, escureceu todo o céu. Que raios e mais trovões, sem uma gota de chuva, tomaram conta da noite, apavorando os viventes.

Do caso, ainda se sabe que, bem na manhã do dia, o estancieiro e o filho haviam enlouquecido. Que os dois foram encontrados, despidos, descabelados, ambos ajoelhados, pedindo perdão ao chão, junto à cova do guri, no panelão das formigas.

Quem viu a cena escabrosa também garante ter visto, lá no horizonte do pasto, cavalgando em Seteléguas, mais campeando a tropilha e os novilhos da estância, justo o menino negro que, liberto das maldades de seu senhor estancieiro, seguiu mundão adiante, sem se deixar prender pelas fronteiras da terra.

Diante do acontecido, o povo se convenceu de que o guri alcançou, com a sua provação, justa proteção divina, tornando-se abençoado. Por carecer de madrinha, ele se viu afilhado da Virgem Santa Maria, que acertou o milagre.

Desde a ocasião, há aqueles que acreditam que o piá é milagreiro, graças à Mãe de Deus e também Nossa Senhora.

Que o santo menino negro encontra coisas perdidas, devolvendo para o dono, se este é bom e tem fé.

Que traz paz aos corações e combate as injustiças.

Que, montado em Seteléguas, cruza o campo gaúcho, atravessa os macegais, as restingas, os banhados, não se detém nos arroios, sobe e desce pelos cerros, também contorna as coxilhas, sempre cuidando dos pobres do Rio Grande do Sul.

Os que contam sua saga, com muito gosto e vontade, não renegam esse jeito de prosseguir a história, entendendo que assim, nas controvérsias do mundo, a vida fica mais bela.

Com certeza, não duvidam!

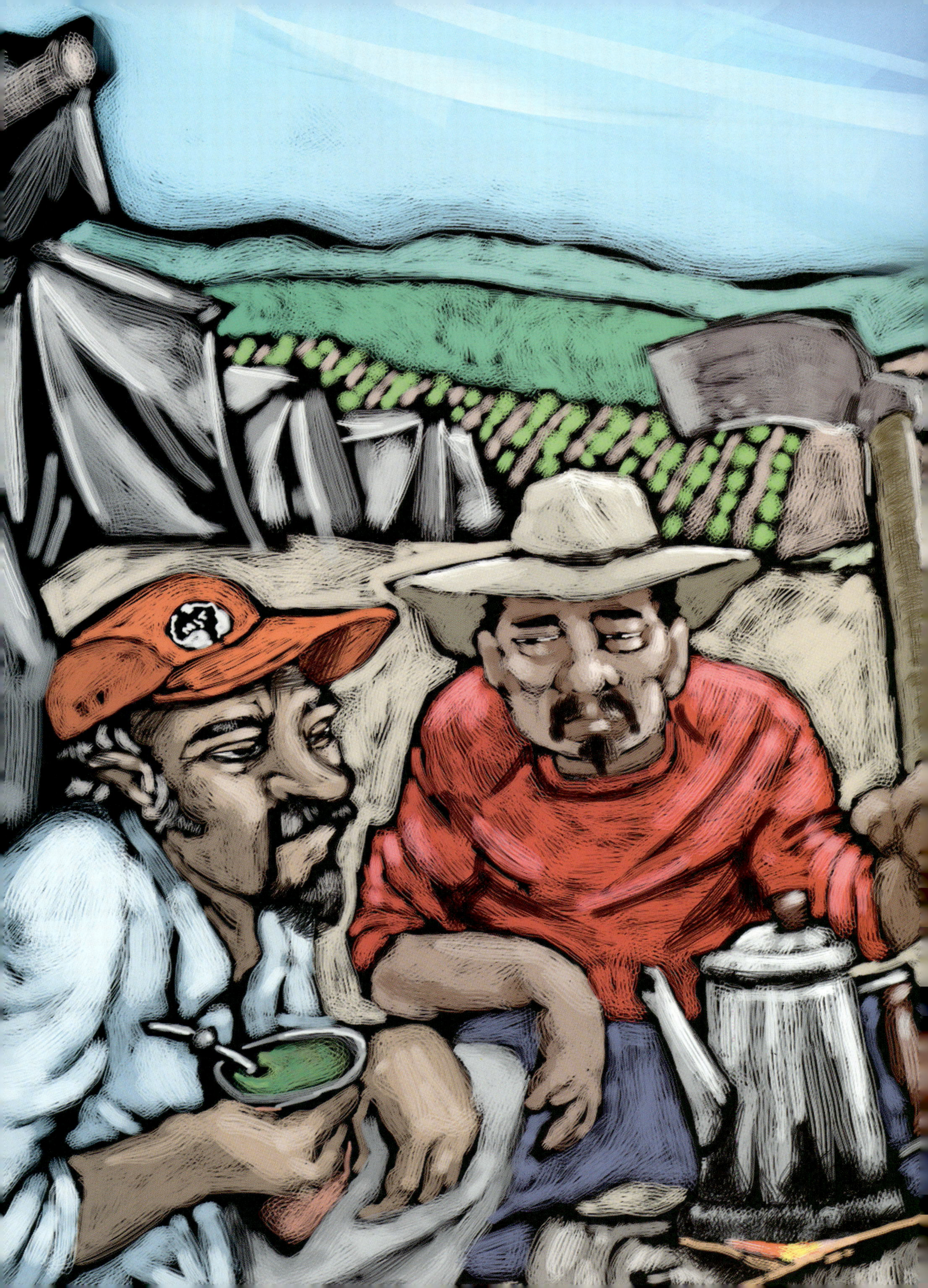

AS TRAMAS DO BOITATÁ

Seu Lobatinho José, contrariando o costume, estás dizendo mentira, ao garantir para o povo, neste nosso assentamento do Movimento Sem-Terra, que o boitatá não existe, nem em Santa Catarina muito menos no Rio Grande.

É coisa que não se fala, mesmo porque vi a fera, num estado e no outro. E, seja conforme for, esse animal controverso tem existência real na mente e no coração de gente muito distinta que se mata no trabalho em serviço de cidade ou plantação de lavoura, até mesmo por aqui, nas terras do Paraná, onde, vale concordar, o bicho nunca foi visto.

Contestando essa descrença que o senhor ousa afirmar, vou narrar tudo o que sei, presenciei e ouvi, as tramas das aventuras dos boitatás destes cantos.

Escuta com paciência e não duvida de mim, pois trago prova comigo.

Quem primeiro me contou a história do boitatá foi meu falecido avô, o velho Domingo Juca, há mais de quarenta anos, quando eu era piá e morava junto dele numa estância de ricaços. Estância de boi de engorda e carne de charqueada, onde o velho labutava, por perto de Alto Alegre, na direção de Pelotas.

Gaúcho de confiança, vaqueiro dos mais antigos, agregado na estância, vovô muito apreciava falar do que conhecia enquanto se verdeava, sugando o mate da cuia, no nascer da noite fria.

Dizia que o boitatá era uma cobra gigante, comprida e iluminada feito faísca de fogo, que se arrasta pelo chão e aparece nos campos protegendo o mato virgem contra as queimadas dos homens. Bicho dos mais remotos, tramado na natureza junto à raiz dos tempos, antes dos guaranis, das missões dos jesuítas e crimes dos bandeirantes que desciam de São Paulo, com ganância e com trabuco, até as terras gaúchas para escravizar os índios.

– Jango Moreno, teu pai, se ainda fosse vivo, me confirmava o que digo – garantia para mim, agarrado nas histórias do Rio Grande do Sul. – E Branca Juca, tua mãe, se morasse por aqui e não tivesse partido, preferido Porto Alegre na procura de serviço em casa de gente rica, nunca me desmentiria!

Contava que o boitatá, vindo de outras eras, surgiu quando aconteceu em toda a terra que havia um dilúvio atormentado, filho da escuridão com uma chuva tremenda que pôs o sol a correr, invadiu o continente e empurrou o mundão para o topo das coxilhas e para o pico dos cerros.

– Foi um peso d'água imenso que, seguindo pelas sangas, verteu grosso nos arroios indo bater com força nos costados das colinas. Assim dizem os antigos do que ouviram dizer. E olha que morreu gente, morreu bicho, criação, morreu tanta coisa viva que na descida das águas depois de meses de chuva não se viu lama nenhuma. Só se via pelos campos, nos banhados e restingas, mar de carcaça de morto fedendo na madrugada. Deus é prova do que houve naquele momento ruim! – relatava meu avô, o velho Domingo Juca, ora em casa, para mim, ora em roda de fogueira, falando para os peões perto do galpão da estância, após toda a trabalheira de mais um dia na vida.

Ele então assegurava, Seu Lobatinho José, que terminado o dilúvio apareceu pela Terra verdadeira cobra grande nunca vista pelos homens. Uma boiguaçu imensa que mais parecia um trem de tão comprida que era. E grossa feito palmeira, ainda que bem maior.

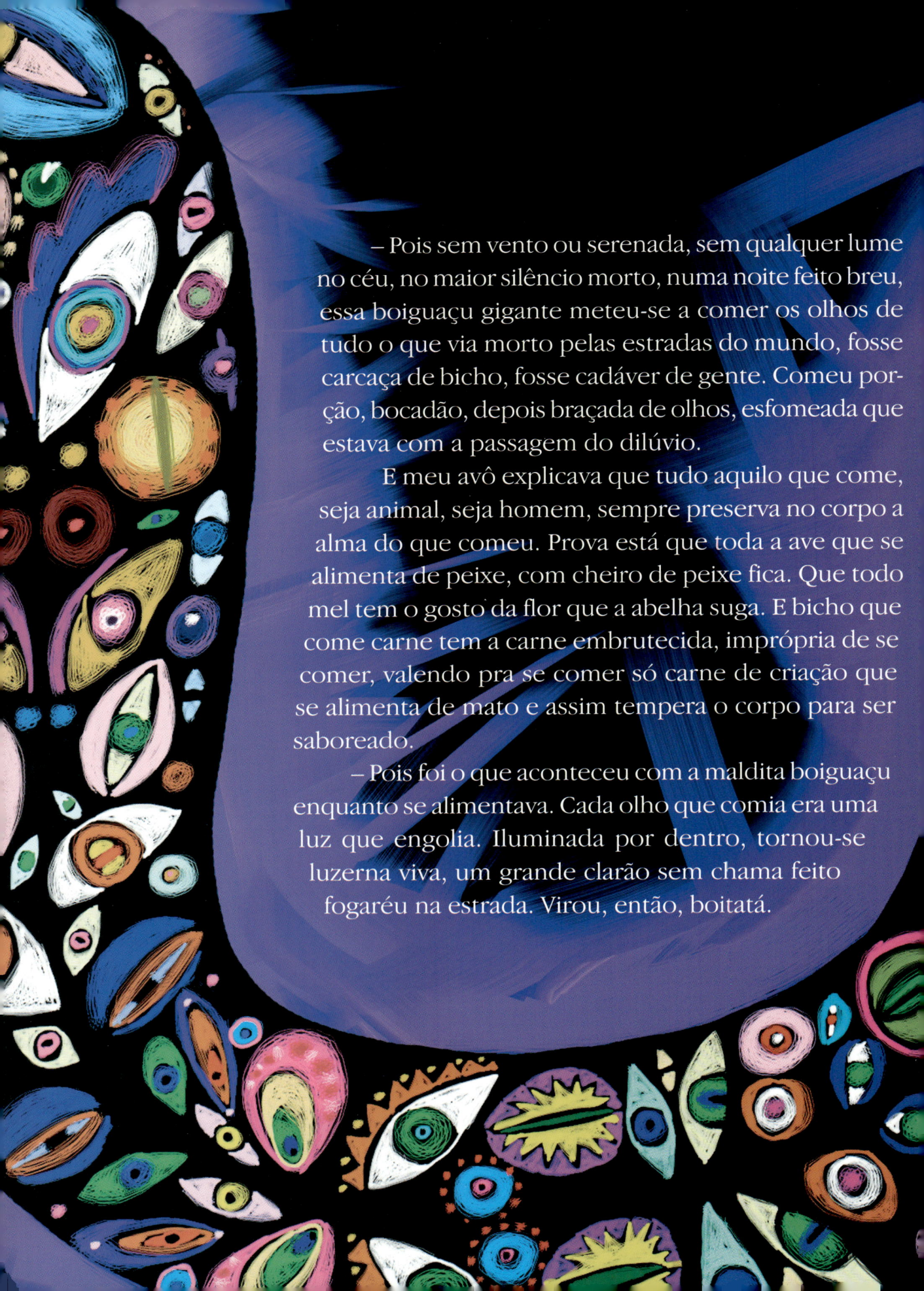

— Pois sem vento ou serenada, sem qualquer lume no céu, no maior silêncio morto, numa noite feito breu, essa boiguaçu gigante meteu-se a comer os olhos de tudo o que via morto pelas estradas do mundo, fosse carcaça de bicho, fosse cadáver de gente. Comeu porção, bocadão, depois braçada de olhos, esfomeada que estava com a passagem do dilúvio.

E meu avô explicava que tudo aquilo que come, seja animal, seja homem, sempre preserva no corpo a alma do que comeu. Prova está que toda a ave que se alimenta de peixe, com cheiro de peixe fica. Que todo mel tem o gosto da flor que a abelha suga. E bicho que come carne tem a carne embrutecida, imprópria de se comer, valendo pra se comer só carne de criação que se alimenta de mato e assim tempera o corpo para ser saboreado.

— Pois foi o que aconteceu com a maldita boiguaçu enquanto se alimentava. Cada olho que comia era uma luz que engolia. Iluminada por dentro, tornou-se luzerna viva, um grande clarão sem chama feito fogaréu na estrada. Virou, então, boitatá.

Adiantava que os homens, percebendo a gulodice daquela fera danada, passaram a suspeitar que o boitatá era um risco aos olhos de um ser vivente, ainda que não houvesse uma prova, um só relato, unzinho só pra semente, que acusasse o boitatá de atacar a visão de homem ou de bicho vivo.

Advertia, contudo, que na defesa das matas, se opondo à devastação das queimadas provocadas pela cobiça de uns à procura de ter pasto para o gado das estâncias, o boitatá muitas vezes endoidecia ou cegava todo aquele que encontrava nos percursos adiante. Ou ainda empobrecia o estancieiro abusado que, sem preceito, ousasse destruir a natureza. Assim também defendia os animais contra os homens que vão além das medidas nas caçadas pelo mato.

— Tu tens que morder a faca, manter os olhos fechados e a respiração suspensa ao ver a cobra de fogo de repente numa estrada – lembrava o meu avô. – Desse modo, ela se afasta sem te fazer mal algum. Têm os que aconselham a lançar um objeto de puro ferro fundido bem na cabeça do bicho, como preceito seguro contra um ataque da fera. Coisa que eu duvido e não sugiro a ninguém.

Assegurava vovô que o pior acontece se alguém exibe medo ou foge na correria diante de um boitatá, pois a cobra não perdoa um tipo que se acovarda.

Dizia que, certa feita, sendo ele sentinela de um batalhão que marchava de um quartel de São Borja à cidade Santo Ângelo, servindo a Getúlio Vargas na revolução de 30, viu de longe o boitatá.

— Era uma noite escura, um negrume de carvão sem uma estrela no céu, nem lua a compensar. Primeiro, escutei distante um quero-quero trinando, no fundo do breu da noite. Daquilo, fiquei atento. Daí que se destacou o brilho do boitatá numa trilha que rondava uma coxilha adiante. Parecia um fogo vivo mirando em todo lado com os olhos de luzerna. O comandante da tropa, um certo cabo Dedé, homem danado de bom, sabedor de tanta coisa, também percebeu a fera que vinha pelo caminho justo na direção. Se ele estivesse vivo agora, aqui nesta estância, decerto confirmaria a história acontecida.

Seu Lobatinho José, indo adiante no caso, de minha parte garanto o que ouvi de vovô.

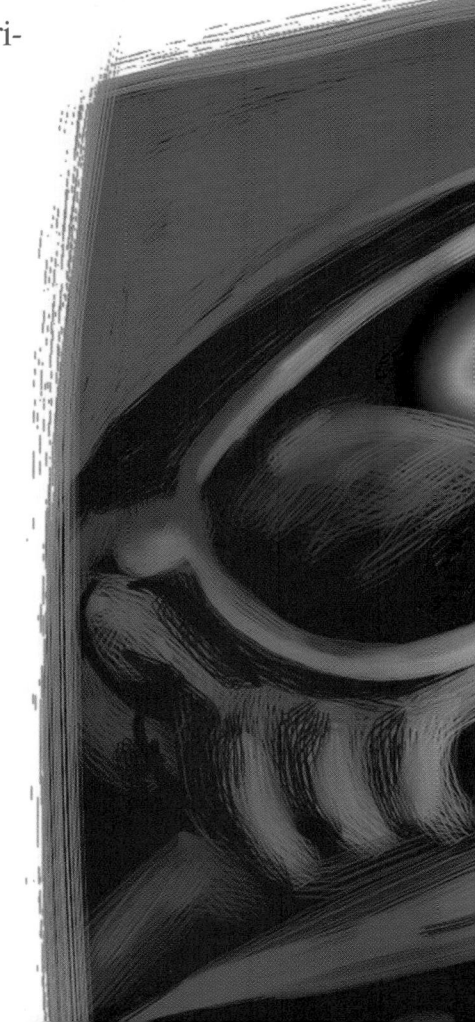

— Vigilante, de onde estava, o cabo, então, me gritou: – "Domingo! Morde entre os dentes o corte de teu punhal ou mesmo da baioneta do fuzil que tens aí!". Foi o que fiz depressa, mantendo os olhos fechados, prendendo a respiração. Sem demora, o bicho estranho não custou a recuar. Daí pegou outro rumo e nos deixou sossegados. De manhã, fomos embora, confiantes na vitória da revolução armada! – detalhava para nós.

Logo, porém, lamentava o resto do acontecido. Falava que a tal revolta, se derrubou o governo, pondo outro no lugar, tinha sido brincadeira, sem tiro e sem combate. Só serviu para mudar os homens que sempre mandam e comandam o país, feito quem troca um seis por meia dúzia outra vez.

– Na tropa, não arranjei nada, nem briga que compensasse. Se corri risco de morte, foi vendo esse boitatá, seu fogo misterioso que não queima, não esquenta, só ilumina onde passa, fato que nunca esqueço e sempre hei de lembrar – concluía meu avô, impressionando os peões.

Eu também me impressionava com as coisas que contava o velho Domingo Juca. Eram tramas tão armadas que sempre me lembro delas, sem desacreditar.

Já minha avó Margarida desgostava das histórias da cobra grande do Sul. Achava que o boitatá era o demônio na Terra, alguma alma penada vagando na perdição, alma de algum pagão, de criança sem batismo, de quem pecou no amor amando fora de casa, descumprindo obrigação de marido ou de esposa.

Muitas vezes, resmungava e me apartava do grupo reunido com vovô.

– Chispa daí, piá! Vem para dentro do rancho! Entra logo, sem demora! – gritava, brava comigo.

No intuito de me assustar, boquejava fato antigo, acontecido nos fundos de uma velha capela em roça das cercanias de São Miguel das Missões, quando ela era mocinha.

– Cuidava dessa capela o padre Antonico Cano, um espanhol corajoso que impunha respeito. Certa noite, um boitatá apareceu no abobral do quintal da igrejinha! Deus me perdoe a lembrança! – santigava-se vovó.

Adiantava que o padre, vendo a cobra iluminada, meteu-se a rezar um Credo e, mesmo estando de longe, pôs-se a jogar água benta no animal encantado.

– Sem muito custo, a serpente contorceu-se endiabrada. Explodiu feito um rojão, deixando por todo o ar um cheiro de enxofre ruim. Era o trem, a tentação. O abobral estragou, com a horta em fogo vivo. Depois, não nasceu mais nada naquela terra perdida – assim ela me contava, enquanto esquentava água para seu chimarrão, no fogão da cozinha.

De minha parte, entendia que aquilo era crendice, trama que só servia para me ponderar, me afastar da palestra, da conversação dos homens com atenção nas histórias do velho Domingo Juca.

Meu avô, por sua vez, sempre me defendia.

– Ora, dona Margarida, para de ser ranzinza! Deixa o menino aqui! Ele precisa saber das verdades desta terra, tornar-se peão valente, gaúcho macho de fato! – reclamava com a velha e prosseguia contando.

Falava que o boitatá aparece no verão, nas noites quentes do Sul. Que antes, na primavera, também costuma surgir. Que se acalma no outono e no inverno se guarda, dormindo por vários meses nalguma loca de pedra ou salamanca de serro, assim fugindo do frio. Advertia, porém, que, havendo precisão, mesmo em tempo de geada, o bicho se insinua numa trilha, num caminho, marcando sua presença.

– Ainda agora, há seis anos, justo em 54, quando morreu Getúlio, mesmo sendo inverno bravo, frio de agosto danado, as estradas do Rio Grande se encheram de boitatá, tudo na direção da cidade de São Borja, para prestar homenagem ao presidente morto, onde ele foi enterrado. História bastante estranha que não vi com esses olhos, mas, confesso, agradou-me.

Afinal, o presidente sempre apadrinhou os pobres. Merecia a homenagem! – explicava para nós, e ai de quem duvidasse desse fato que se deu.

Depois, já sendo rapaz, mudei-me daquela estância por perto de Alto Alegre, indo morar com um tio que me ensinou o ofício de domador de potro noutra estância que havia, desta vez nas cercanias de São Francisco de Assis, acima do Ibicuí, rio de águas claras, boas para nadar, pescar e mesmo beber, fartura que desconheço se ainda hoje acontece do jeito que acontecia.

Com meu tio Leonel, de fato virei peão. Dominei cavalo bravo, montado no pelo puro, equilibrado na espora, com as duas mãos agarradas na crina do animal, feito um ginete torena.

Nesse tempo com meu tio também acertei as letras para ler e escrever e não encontrei mistério na arte de fazer conta. Aprendi a atirar e a usar o punhal, sem nunca me assanhar por briga com outro homem, longe de ser puava, sendo cidadão de paz, seu Lobatinho José.

Já viciado no mate, sempre com minha bomba e a cuia de chimarrão, fui salgador de carne e tirador de couro, sabendo também curtir.

Participei de rodeio e trouxe prêmio comigo. Dancei chula e pericom, fazendo boa figura em meio às moças da estância, tanto em fandango de roça como em baile de cidade.

Em São Francisco de Assis, vivi o melhor da vida e conheci com estes olhos o boitatá numa estrada. Isto, em certa ocasião, quando, em noite de verão, eu e mais um outro peão, paisano também sestroso, saímos para caçar um guará que de costume, com certeza esfomeado, nos atacava as ovelhas. E me lembrei de vovô ao ouvir o quero-quero já prenunciando a cobra. Sem demora, vi de longe o boitatá se arrastando pela trilha em pleno mato, feito fogo, feito ouro, na proteção do guará.

Com o punhal entre os dentes, apartei-me do lugar, junto de Zeca Vivas, o dito peão da estância. No respeito à cobra grande, deixamos de lado o lobo, sem terminar a caçada.

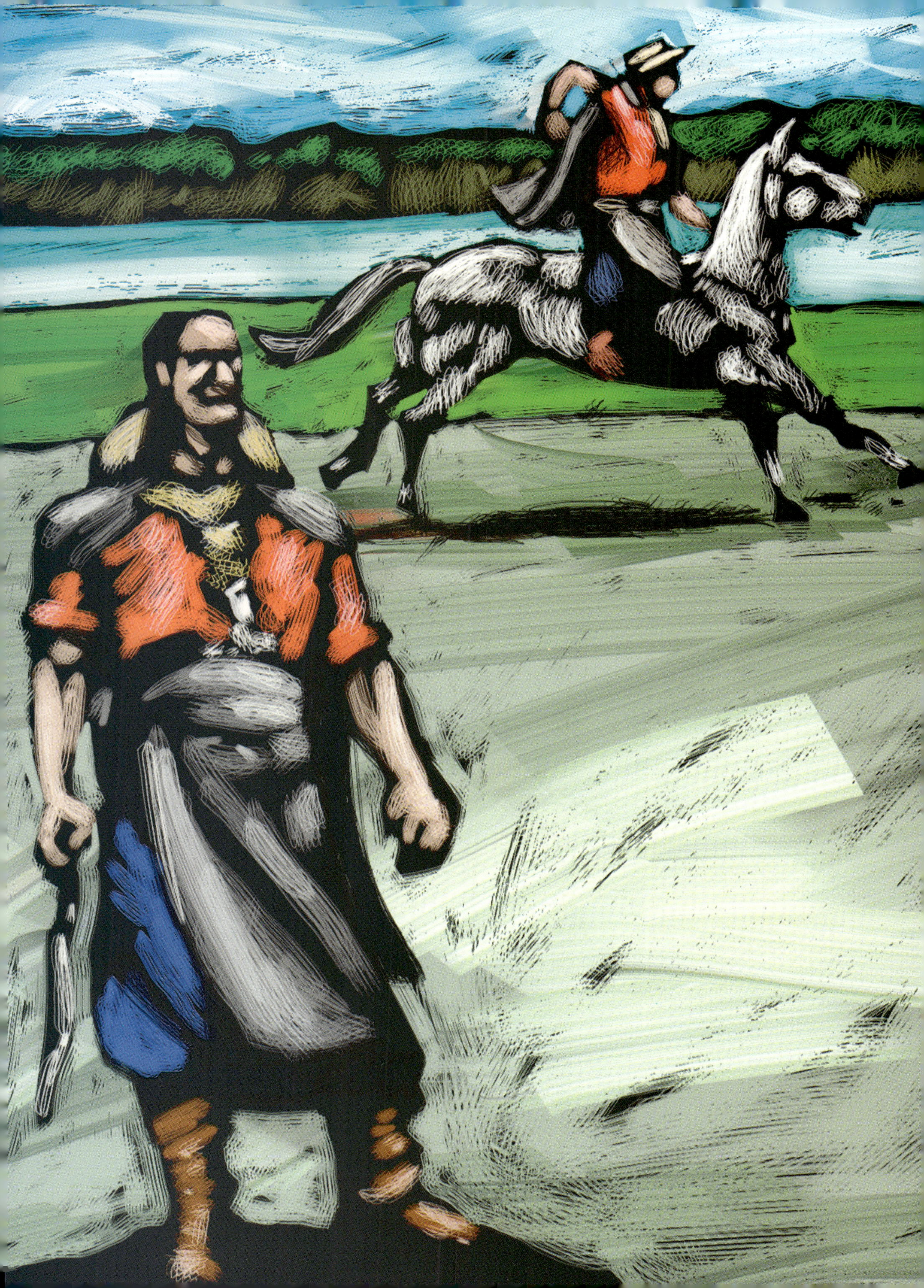

foi o que aconteceu e, além, nada se deu. Se esse Zeca peão estivesse aqui agora, iria me confirmar, impedindo que alguém tomasse o acontecido por falácia ou por mentira. Garantia a existência do boitatá que vispei nas matas dos arredores de São Francisco de Assis, desbancando de uma vez essa teimosa calúnia que o senhor, Seu Lobatinho, sem prova, vive espalhando para o nosso pessoal, aqui no assentamento.

De São Francisco de Assis, conforme a necessidade, rodei terra e rodei mundo. Levando histórias comigo, cuidei de muita tropilha, tosquiei muito cordeiro, fui ponteiro de boiada, assim como fui posteiro, guarda de vasta divisa de uma estância e mais outra, em terras de Vacaria.

Sem emprego de peão, cortei trigo muito farto em Bagé, Lavras do Sul, Santana da Boa Vista e mesmo Boa Esperança. Tratei de uva dos outros e da produção de vinho, em vinhas de Garibaldi, mais Caxias do Sul e, claro, em Bento Gonçalves. Até mesmo trabalhei em comércio de turista na cidade de Gramado, coisa de que não gostei e só me valeu a pena por ter então conhecido a mulher com quem casei, Rosalinda, minha prenda, que ainda está comigo e até me acompanhou quando me desgracei na precisão de labuta passando a ser bóia-fria, justo em Paranavaí, já aqui, no Paraná, antes de vir para cá, neste nosso assentamento do Movimento Sem-Terra, onde acertei minha vida, conforme o senhor bem sabe, Seu Lobatinho José.

    Filha de Itororó, criada junto das águas do vale do rio Peixe, lá em Santa Catarina, Rosalinda, no namoro, servindo meu chocolate numa loja de Gramado, onde ela era atendente, foi quem me contou histórias de um outro boitatá certamente diferente da grande cobra de fogo do Rio Grande do Sul.

Revelou que o boitatá em sua terra é um touro, um marmanjo de um boi com um só olho na testa e aspas de meter medo. Touro que se esconde nos rios e nas lagoas, também morando nos mangues das cercanias do mar. Sendo aquático e terrestre, há aqueles que asseguram já ter visto a dita fera como pássaro gigante na travessia do céu. Fato que não contesto.

Adiantou que esse touro já conhecido de perto por seu falecido pai, quando ataca, cospe fogo na direção do inimigo, defendendo a natureza, protegendo a mata virgem contra os incêndios dos homens e acobertando os bichos perseguidos nas caçadas. Empenhos bem semelhantes aos do boitatá gaúcho.

Confesso que de início custou-me acreditar nesse touro boitatá. Achei contação de prosa, conversa de catarina querendo fazer vantagem diante da gauchada.

Mais tarde, ao me casar, deixei Gramado de lado, indo para Pomerode, onde morei por uns tempos junto de Rosalinda, nas terras em que moravam minha sogra e meu cunhado, sendo nessa ocasião que encontrei o tal touro, o boitatá encantado do povo catarinense.

Desse encontro com o boi, sozinho, sem testemunha, só sei que escapei com vida e se isso aconteceu foi por obra de milagre de algum santo protetor que na hora se interpôs, contendo a fúria do bicho. É trama que não me agrada recordar para ninguém, por isso não vou contar. E dentre as tantas histórias que reconheço do touro, vale lembrar uma delas que por costume contava Reginaldo, meu cunhado, pessoa que, por sinal, não vejo há muitos anos, desde que virou caseiro de uns argentinos ricaços, na praia de Barra Velha.

Contava, então, Reginaldo que numa fazenda antiga do tempo da escravidão, perto do rio Canoas, na região onde hoje se situa Laranjeiras, aliás cidade boa, apesar do desemprego que ronda a população, lá moravam três irmãos, Júlio, Jonas e João, todos eles Alvarenga, os donos daquelas terras. Três tipos mal-encarados, matadores de escravos, cheios de mortes nas costas, todos os três solteirões.

Pois não é que na noitinha de um dia muito frio, retornando do trabalho toda a turma de escravos, despontou numa colina bem distante da senzala o boitatá fumegando, com um só olho na testa, berrando de fazer gosto, batendo as patas no chão, desafiando os patrões.

Assustados, os escravos correram para a senzala.

Os Alvarenga, possessos, carregados de arrogância, armados de espingardas, de garruchas e facões, decidiram enfrentar esse touro enfurecido, verdadeiro boitatá.

Seguiram para a colina já atirando de longe.

Ninguém viu o que se deu, pois já no primeiro tiro todo o céu se encheu de nuvens, a noite tornou-se um breu, caindo uma tempestade que durou mais de três dias, transbordando os afluentes e mais o rio Canoas, que ficaram feito um mar.

O que se soube mais tarde, conforme revelação dos escravos da fazenda, é que os tais três irmãos, Júlio, Jonas e João, os perversos que eram donos, os proprietários das terras, enfrentando o boitatá, acabaram se matando.

Os corpos, Seu Lobatinho, foram depois encontrados. João e Júlio, esfaqueados. Jonas, com tiro na testa. Uma tragédia só.

Sem herdeiros, a fazenda tornou-se posse ocupada pelos negros libertados, que lá montaram quilombo, cuidaram da plantação e defenderam seus bens com unhas, dentes e armas.

Quando veio a abolição, pondo fim na escravatura, isso se legalizou, virou fazenda de todos que se encontravam nas terras perfeitamente assentados, agora, então, proprietários, com escritura lavrada num cartório de Palmares, já cidade bem crescida, perto da região.

Eu nunca estive por lá para assegurar o fato, mas meu cunhado contava essa história acontecida, certo do que dizia. Acreditava, por isso, que o boitatá, muitas vezes, feito uma cobra de fogo ou touro de um olho só, age, nas suas tramas, em defesa dos mais pobres e não só da natureza.

Preceito que me convence e faz com que me revolte contra essa história manhosa que o senhor vive prosando, desacreditando o bicho, teimando que o boitatá é lenda, mito, mentira.

Sinceramente, isto posto, gostaria de saber qual a vantagem que levas ao desmentir as crendices de nosso povo do Sul?! Será que não imaginas o quanto a vida é mais bela com essas tramas da terra?!

Ora, se não, digo, agora!

Claro que é, sim, senhor, Seu Lobatinho José!

BIBLIOGRAFIA BÁSICA

AMARAL, Luís. *As Américas antes dos europeus*. São Paulo, Cia. Editora Nacional, 1946.

BALDUS, Herbert. *Lendas dos índios do Brasil*. São Paulo, Brasiliense, 1946.

BAYARD, Jean-Pierre. *História das lendas*. São Paulo, Difusão Européia do Livro, 1957.

BRAY, Frank Chapin. *Bray'university dictionary of mithology*. New York, Th. Y. Crowell Inc., 1964.

CAMPBELL, Joseph. *O poder do mito*. São Paulo, Associação Palas Athena, 1991.

CARNEIRO, Edison. *A conquista da Amazônia*. Rio de Janeiro, M.V.O.P., 1956.

CASCUDO, Luís da Câmara. *Dicionário do folclore brasileiro*. Rio de Janeiro, Instituto Nacional do Livro, 1962.

_____. *Geografia dos mitos brasileiros*. Rio de Janeiro, José Olympio, 1947.

_____. *Contos tradicionais do Brasil*. Rio de Janeiro, Edições de Ouro/Ediouro, 1970.

_____. *Mitos brasileiros*. Rio de Janeiro (Cadernos de Folclore, 6), MEC – Departamento de Assuntos Culturais – Funarte, 1976.

COSTA E SILVA, Alberto da. *Antologia de lendas do índio brasileiro*. Rio de Janeiro, Instituto Nacional do Livro, 1957.

DIÉGUES JÚNIOR, Manuel. *Regiões culturais do Brasil*. Rio de Janeiro, Inep, 1960.

DONATO, Hernani. *Dicionário de mitologia [Afro-ameríndia]*. São Paulo, Cultrix, 1973.

FAGUNDES, Antônio Augusto. *Mitos e lendas do Rio Grande do Sul*. Porto Alegre, Martins Livreiro, 1992.

GIRAUD, F. *Mitologia general*. Barcelona, Editorial Labor SA, 1962.

GOMES, Lindolfo. *Contos populares do Brasil*. São Paulo, Melhoramentos, 1947.

LACERDA, Nair. *Maravilhas do conto mitológico*. São Paulo, Cultrix, 1959.

LEITE, Mário R. *Lendas da minha terra*. Goiânia, Bolsa de Publicações Hugo de Carvalho Ramos, 1951.

LOPES NETO, Simões. *Contos gauchescos e lendas do Sul*. Porto Alegre, Globo, 1957.

MORAIS, Raimundo. *O meu dicionário de coisas da Amazônia*. 2. ed. 2 v. Manaus, Edições Governo do Estado, 2001.

NINA, A. Della. *Enciclopédia universal da fábula V. XXXI*. São Paulo, Editora das Américas, 1959.

ORICO, Osvaldo. *Vocabulário de crendices amazônicas*. São Paulo, Cia. Editora Nacional, 1937.

RAMOS, Arthur. *As culturas negras do Novo Mundo*. Rio de Janeiro, Civilização Brasileira AS, 1937.

RHINNELLS, John R. *Dicionário das religiões*. São Paulo, Cultrix, 1989.

ROMERO, Sílvio. *Folclore brasileiro*. Rio de Janeiro, José Olympio, 1957.

SPALDING, Tassilo Orpheu. *Dicionário de mitologia greco-latina*. Belo Horizonte, Livraria Itatiaia, 1965.

SPROUL, Bárbara C. *Mitos primais*. São Paulo, Siciliano, 1994.

STEPHEN, Larsen. *Imaginação mítica*. Rio de Janeiro, Campus, 1991.

VÁRIOS AUTORES. *Brasil – histórias, costumes e lendas*. São Paulo, Editora Três, 1976.

_____. *Mitologias*. 3 v. São Paulo, Abril Cultural, 1973.

Muitas vezes, intrigado, me pergunto por que escrevo histórias? Por que passo tantas horas às voltas com um texto, um enredo, uma aventura? Por que tantas vezes me vejo, feito um caçador teimoso, procurando a palavra mais própria, a construção mais justa, para uma frase, um diálogo ou qualquer situação de minhas personagens?
E se não escrevo, intriga-me ainda essa minha mania de inventar casos para amigos. Gosto quando esses amigos se divertem, atentos, com as aventuras que lhes conto. E fico imaginando meus leitores. Suas viagens por minhas histórias. Juro! Não faço isso porque sou mentiroso! Trato mais de fazê-lo pelo prazer da fantasia, pelo gosto da criação, feito hábil viajante sonhador, às voltas com andanças que inventa e segue, sua vida, por esses lances de dados. Brincando com os acontecimentos inventados, feito quem brinca com surpresas.

José Arrabal

Fiquei muito feliz em desenhar esta obra. Sou amigo do Arrabal há bastante tempo e acho que ele é um grande contador de histórias. Sua maneira de escrever me influenciou muito. Mergulhar neste universo exuberante das lendas brasileiras, por meio do seu texto repleto de música, humor e poesia, foi realmente uma viagem prazerosa.

Sérgio P.